AS 48 LEIS DO PODER

EDIÇÃO CONCISA

ROBERT GREENE

Produção de
JOOST ELFFERS

AS
48
LEIS
DO
PODER

EDIÇÃO CONCISA

Tradução de Talita M. Rodrigues

Rocco

Título original
THE 48 LAWS OF POWER
CONCISE EDITION

Derivada de *As 48 leis do poder*, cuja primeira edição foi em 1998 na Grã-Bretanha, pela Profile Books e, nos EUA, pela Viking, uma divisão da Penguin Putnan Inc., e no Brasil, em 2000, pela Editora Rocco Ltda.

Copyright © 1998, 2002 by Robert Greene e Joost Elffers.

Todos os direitos reservados

Parte desta obra foi publicada pela primeira vez em *The Utne Reader*

Todos os direitos reservados; nenhuma parte desta publicação pode ser reproduzida ou transmitida por meio eletrônico, mecânico, fotocópia ou de outra forma sem a prévia autorização do editor.

Direitos para a língua portuguesa reservados
com exclusividade para o Brasil à
EDITORA ROCCO LTDA.
Rua Evaristo da Veiga, 65 – 11º andar
Passeio Corporate – Torre 1
20031-040 – Rio de Janeiro, RJ
Tel. (21) 3525-2000 – Fax: (21) 3525-2001
rocco@rocco.com.br / www.rocco.com.br

Printed in Brazil / Impresso no Brasil

Preparação de originais
EUGÊNIA RIBAS VIEIRA

CIP-BRASIL. CATALOGAÇÃO NA PUBLICAÇÃO
SINDICATO NACIONAL DOS EDITORES DE LIVROS, RJ

G831q

    Greene, Robert, 1959-
       As 48 leis do poder / Robert Greene ; produção de Joost Elffers ; tradução Talita M. Rodrigues. - 1. ed. - Rio de Janeiro : Rocco, 2023.

       "Edição concisa"
       Tradução de: The 48 laws of power.
       ISBN 978-65-5532-360-3
       ISBN 978-65-5595-216-2 (recurso eletrônico)

       1. Sucesso nos negócios. 2. Poder (Filosofia). 3. Controle (Psicologia). 4. Técnicas de autoajuda. I. Elffers, Joost. II. Rodrigues, Talita M. III. Título.

23-84206   CDD: 650.1
                                 CDU: 005.336

Gabriela Faray Ferreira Lopes - Bibliotecária - CRB-7/6643

O texto deste livro obedece às normas do
Acordo Ortográfico da Língua Portuguesa

SUMÁRIO

PREFÁCIO   *página 13*

LEI 1   *página 17*
NÃO OFUSQUE O BRILHO DO MESTRE

LEI 2   *página 22*
NÃO CONFIE DEMAIS NOS AMIGOS,
APRENDA A USAR OS INIMIGOS

LEI 3   *página 27*
OCULTE AS SUAS INTENÇÕES

LEI 4   *página 33*
DIGA SEMPRE MENOS DO QUE O NECESSÁRIO

LEI 5   *página 38*
MUITO DEPENDE DA REPUTAÇÃO – DÊ A PRÓPRIA
VIDA PARA DEFENDÊ-LA

LEI 6   *página 43*
CHAME ATENÇÃO A QUALQUER PREÇO

LEI 7   *página 48*
FAÇA OS OUTROS TRABALHAREM POR VOCÊ,
MAS SEMPRE FIQUE COM O CRÉDITO

LEI 8   *página 53*
FAÇA AS PESSOAS VIREM ATÉ VOCÊ – USE UMA
ISCA, SE FOR PRECISO

LEI 9   *página 58*
VENÇA POR SUAS ATITUDES, NÃO DISCUTA

LEI 10   *página 62*
CONTÁGIO: EVITE O INFELIZ E AZARADO

LEI 11   *página 67*
APRENDA A MANTER AS PESSOAS DEPENDENTES
DE VOCÊ

LEI 12   *página 72*
USE A HONESTIDADE E A GENEROSIDADE SELETIVAS
PARA DESARMAR A SUA VÍTIMA

LEI 13   *página 77*
AO PEDIR AJUDA, APELE PARA O EGOÍSMO
DAS PESSOAS. JAMAIS PARA A SUA MISERICÓRDIA
OU GRATIDÃO

LEI 14   *página 82*
BANQUE O AMIGO, AJA COMO ESPIÃO

LEI 15   *página 87*
ANIQUILE TOTALMENTE O INIMIGO

LEI 16   *página 92*
USE A AUSÊNCIA PARA AUMENTAR O RESPEITO
E A HONRA

LEI 17   *página 97*
MANTENHA OS OUTROS EM UM ESTADO
LATENTE DE TERROR: CULTIVE UMA ATMOSFERA
DE IMPREVISIBILIDADE

LEI 18   *página 102*
NÃO CONSTRUA FORTALEZAS PARA SE PROTEGER –
O ISOLAMENTO É PERIGOSO

LEI 19   *página 107*
SAIBA COM QUEM ESTÁ LIDANDO – NÃO OFENDA
A PESSOA ERRADA

LEI 20   *página 112*
NÃO SE COMPROMETA COM NINGUÉM

LEI 21   *página 117*

FAÇA-SE DE OTÁRIO PARA PEGAR OS OTÁRIOS –
PAREÇA MAIS BOBO DO QUE O NORMAL

LEI 22   *página 122*

USE A TÁTICA DA RENDIÇÃO: TRANSFORME A
FRAQUEZA EM PODER

LEI 23   *página 127*

CONCENTRE AS SUAS FORÇAS

LEI 24   *página 132*

REPRESENTE O CORTESÃO PERFEITO

LEI 25   *página 139*

RECRIE-SE

LEI 26   *página 144*

MANTENHA AS MÃOS LIMPAS

LEI 27   *página 149*

JOGUE COM A NECESSIDADE QUE AS PESSOAS TÊM
DE ACREDITAR EM ALGUMA COISA PARA CRIAR
UM SÉQUITO DE DEVOTOS

LEI 28   *página 154*
SEJA OUSADO

LEI 29   *página 159*
PLANEJE ATÉ O FIM

LEI 30   *página 164*
FAÇA AS SUAS CONQUISTAS PARECEREM FÁCEIS

LEI 31   *página 169*
CONTROLE AS OPÇÕES: QUEM DÁ AS CARTAS É VOCÊ

LEI 32   *página 175*
DESPERTE A FANTASIA DAS PESSOAS

LEI 33   *página 181*
DESCUBRA O PONTO FRACO DE CADA UM

LEI 34   *página 187*
SEJA ARISTOCRÁTICO AO SEU PRÓPRIO MODO:
AJA COMO UM REI PARA SER TRATADO COMO TAL

LEI 35   *página 193*
DOMINE A ARTE DE SABER O TEMPO CERTO

LEI 36   *página 198*
DESPREZE O QUE NÃO PUDER TER: IGNORAR É A MELHOR VINGANÇA

LEI 37   *página 203*
CRIE ESPETÁCULOS ATRAENTES

LEI 38   *página 209*
PENSE COMO QUISER, MAS COMPORTE-SE COMO OS OUTROS

LEI 39   *página 214*
AGITE AS ÁGUAS PARA ATRAIR OS PEIXES

LEI 40   *página 219*
DESPREZE O QUE VIER DE GRAÇA

LEI 41   *página 225*
EVITE SEGUIR AS PEGADAS DE UM GRANDE HOMEM

LEI 42   *página 231*
ATAQUE O PASTOR E AS OVELHAS SE DISPERSAM

LEI 43   *página 236*
CONQUISTE CORAÇÕES E MENTES

LEI 44 *página 242*

DESARME E ENFUREÇA COM O EFEITO ESPELHO

LEI 45 *página 247*

PREGUE A NECESSIDADE DE MUDANÇA, MAS NÃO MUDE MUITA COISA AO MESMO TEMPO

LEI 46 *página 252*

NÃO PAREÇA PERFEITO DEMAIS

LEI 47 *página 258*

NÃO ULTRAPASSE A META ESTABELECIDA; NA VITÓRIA, APRENDA A PARAR

LEI 48 *página 263*

EVITE TER UMA FORMA DEFINIDA

PREFÁCIO

A sensação de não ter nenhum poder sobre pessoas e acontecimentos é, em geral, insuportável – quando nos sentimos impotentes, ficamos infelizes. Ninguém quer menos poder; todos querem mais. No mundo atual, entretanto, é perigoso parecer ter muita fome de poder, ser muito premeditado nos seus movimentos para conquistar o poder. Temos de parecer justos e decentes. Por conseguinte, precisamos ser sutis – agradáveis, porém astutos, democráticos, mas não totalmente honestos.

Este jogo de constante duplicidade mais se assemelha à dinâmica de poder que existia no mundo ardiloso da antiga corte aristocrática. Em toda a história, sempre houve uma corte formada em torno de uma pessoa no poder – rei, rainha, imperador, líder. Os cortesãos que compunham esta corte ficavam numa posição muito delicada: tinham de servir aos seus senhores, mas, se a bajulação fosse muito óbvia, os outros cortesãos notariam e agiriam contra eles. As tentativas de agradar ao senhor, portanto, tinham de ser sutis. E até mesmo os cortesãos hábeis e capazes de tal sutileza ainda tinham de se proteger de seus companheiros que a todo momento tramavam tirá-los do caminho.

Enquanto isso, supunha-se que a corte representasse o auge da civilização e do refinamento. Desaprovavam-se as atitudes violentas ou declaradas de poder; os cortesãos trabalhavam em silêncio e sigilosamente contra aquele entre eles que usasse a força. Este era o dilema do cortesão: aparentando ser o próprio modelo de elegância, ele tinha ao mesmo tempo de ser o mais esperto e frustrar os movimentos dos seus adversários da maneira mais sutil possível. Com o tempo, o cortesão bem-sucedido aprendia a agir sempre de forma indireta; se apunhalava o adversário pelas costas, era com luva de pelica na mão e, no rosto, o mais gentil dos sorrisos. Em vez de coagir ou trair explicitamente, o cortesão perfeito conseguia o que queria seduzindo, usando o charme, a fraude e as estratégias sutis, sempre planejando várias ações com antecedência. A vida na corte era um jogo interminável que exigia vigilância constante e pensamento tático. Era uma guerra civilizada.

Hoje enfrentamos um paradoxo peculiarmente semelhante ao do cortesão: tudo deve parecer civilizado, decente, democrático e justo. Mas se obedecemos com muita rigidez a essas regras, se as tomamos de uma forma por demais literal, somos esmagados pelos que estão ao nosso redor e que não são assim tão tolos. Como escreveu o grande cortesão e diplomata renascentista Nicolau Maquiavel, "O homem que tenta ser bom o tempo todo está fadado à ruína entre os inúmeros outros que não são bons". A corte se imaginava o pináculo do refinamento, mas sob a superfície cintilante fervilhava um caldeirão de emoções escusas – ganância, inveja, luxúria, ódio. Nosso mundo, hoje, igualmente se imagina o pináculo da justiça, mas as mesmas feias emoções continuam fervendo dentro de nós, como sempre. O jogo é o mesmo. Por fora, você deve aparentar que é uma pessoa de escrúpulos, mas, por dentro, a não ser que seja um tolo, vai aprender logo a fazer o que Napoleão aconselhava: calçar a sua mão de ferro com uma luva de veludo. Se, como o cortesão de idos tempos, você for capaz de dominar a arte da dissimulação, aprendendo a seduzir, encantar, enganar e sutilmente passar a perna nos seus adversários, alcançará os píncaros do poder. Vai conseguir dobrar as pessoas sem que

AS 48 LEIS DO PODER

elas percebam o que você está fazendo. E se elas não percebem o que você está fazendo, também não ficarão ressentidas nem lhe oferecerão resistência.

Considere *As 48 leis do poder* como uma espécie de manual sobre as artes da dissimulação. Estudando as leis neste livro, você vai compreender o que é o poder e as suas propriedades. E ao colocá-las em prática, você será capaz de prosperar no mundo moderno, com ar de modelo de decência, mas sendo um consumado manipulador.

LEI 1

NÃO OFUSQUE O BRILHO DO MESTRE

JULGAMENTO
Faça sempre com que as pessoas acima de você se sintam confortavelmente superiores. Querendo agradar ou impressionar, não exagere exibindo seus próprios talentos ou poderá conseguir o contrário – inspirar medo e insegurança. Faça com que seus mestres pareçam mais brilhantes do que são na realidade e você alcançará o ápice do poder.

AS CHAVES DO PODER

Todos têm as suas inseguranças. Quando você se expõe ao mundo e mostra os seus talentos, é natural que isso desperte todos os tipos de ressentimentos, inveja e outras manifestações de insegurança. É de esperar que isto aconteça. Você não pode passar a vida se preocupando com os sentimentos mesquinhos dos outros. Mas, com quem está acima de você, é preciso adotar outra abordagem: quando se trata de poder, brilhar mais do que o mestre talvez seja o maior erro.

Não se iluda pensando que a vida mudou muito desde a época de Luís XIV e dos Medici. Quem conquista um alto status na vida é como os reis e as rainhas: quer se sentir seguro da sua posição e superior aos que o cercam em inteligência, perspicácia e charme. É uma falha de percepção mortal, porém comum, acreditar que exibindo e alardeando os seus dons e talentos você está conquistando o afeto do senhor. Ele pode fingir apreço, mas na primeira oportunidade vai substituir você por alguém menos brilhante, menos atraente, menos ameaçador, assim como Luís XIV substituiu o reluzente Fouquet pelo apagado Colbert. E, como no caso de Luís XIV, ele não admitirá a verdade, mas arranjará uma desculpa para se livrar da sua presença.

AS 48 LEIS DO PODER

Esta Lei implica duas regras que você precisa entender. Primeiro, é possível inadvertidamente brilhar mais do que o senhor sendo simplesmente você mesmo. Existem senhores que são mais inseguros do que outros, monstruosamente inseguros; você pode naturalmente brilhar mais do que eles com seu charme e a sua graça. Se você não pode deixar de ser uma pessoa fascinante, precisa aprender a evitar esses monstros de vaidade ou achar um jeito de abafar as suas boas qualidades quando estiver com eles.

Segundo, não imagine que pode fazer tudo que quiser porque o senhor gosta de você. Livros inteiros poderiam ser escritos sobre favoritos que caíram em desgraça por considerar garantido o seu status, por ousar brilhar.

Sabendo dos perigos de brilhar mais do que o seu senhor, você pode tirar vantagem desta Lei. Primeiro, você precisa elogiar e cortejá-lo. A bajulação explícita pode ser eficaz, mas tem seus limites; é por demais direta e óbvia e causa má impressão nos outros cortesãos. Cortejar discretamente é muito mais eficaz. Se você é mais inteligente do que o seu senhor, por exemplo, aparente o oposto: deixe que ele pareça mais inteligente do que você. Mostre ingenuidade. Faça parecer que você precisa da habilidade dele. Cometa erros

inofensivos, que não afetarão você a longo prazo, mas lhe darão chance de pedir a sua ajuda. Os senhores adoram essas solicitações. O mestre que não conseguir presenteá-lo com a sua experiência pode deixar cair sobre você a sua ira e a sua má vontade.
 Se as suas ideias são mais criativas do que as do seu mestre, atribua-as a ele, da maneira mais pública possível. Deixe claro que o *seu* conselho está simplesmente repetindo um conselho *dele*.
 Se você for naturalmente mais sociável e generoso do que seu senhor, atenção para não ser a nuvem que vai toldar o seu brilho aos olhos dos outros. Ele deve parecer como o sol em torno do qual todos giram, irradiando poder e brilho, o centro das atenções.
 Em todos estes casos, não é fraqueza disfarçar a sua força se, no final, eles o levarem ao poder. Deixando que os outros empanem o seu brilho, você permanece no controle da situação, em vez de ser vítima da insegurança deles. Isto será muito útil no dia em que você decidir elevar o seu status inferior. Se, como Galileu, você conseguir que o seu senhor brilhe ainda mais aos olhos dos outros, então você é um enviado dos deuses e será imediatamente promovido.

AS 48 LEIS DO PODER

Imagem: As Estrelas no Céu. Só pode haver um sol de cada vez. Não ofusque a luz do sol, ou rivalize com seu brilho; pelo contrário, vá desaparecendo no céu e descubra como tornar mais intensa a luz do mestre.

Autoridade: Evite brilhar mais do que o senhor. Toda superioridade é odiosa, mas a superioridade de um súdito com relação ao seu príncipe não só é estúpida como fatal. Esta é uma lição que as estrelas no céu nos ensinam – elas podem ser aparentadas com o sol, e tão brilhantes quanto ele, mas nunca aparecem em sua companhia (Baltasar Gracián, 1601-1658).

LEI 2

NÃO CONFIE DEMAIS NOS AMIGOS, APRENDA A USAR OS INIMIGOS

JULGAMENTO

Cautela com os amigos — eles o trairão mais rapidamente, pois são com mais facilidade levados à inveja. Eles também se tornam mimados e tirânicos. Mas contrate um ex-inimigo e ele lhe será mais fiel do que um amigo, porque tem mais a provar. De fato, você tem mais o que temer por parte dos amigos do que dos inimigos. Se você não tem inimigos, descubra um jeito de tê-los.

AS CHAVES DO PODER

É natural querer empregar os amigos quando você mesmo está passando por dificuldades. O mundo é árido e os amigos o suavizam. Além do mais, você os conhece. Por que depender de um estranho quando se tem um amigo à mão?

O problema é que nem sempre se conhece os amigos tão bem quanto se imagina. Eles costumam concordar para evitar discussões. Disfarçam suas qualidades desagradáveis para não se ofenderem mutuamente. Acham graça demais nas piadas uns dos outros. Visto que a honestidade raramente reforça a amizade, você talvez jamais saiba o que um amigo realmente sente. Eles dirão que gostam da sua poesia, adoram a sua música, invejam o seu bom gosto para se vestir – talvez estejam sendo sinceros, com frequência não estão.

Quando você decide contratar um amigo, aos poucos vai descobrindo as qualidades que ele, ou ela, estava escondendo. Curiosamente, é o seu ato de bondade que desequilibra tudo. As pessoas querem sentir que merecem a sorte que estão tendo.

O problema de usar ou contratar amigos é que isso inevitavelmente limitará o seu poder. É raro o amigo ser a pessoa mais capaz de ajudar você; e, afinal, capacidade

LUCRANDO COM OS INIMIGOS

Aconteceu, certa vez, que o rei Hieron, falando com um dos seus inimigos, foi recriminado por ter mau hálito. O rei, então, um tanto constrangido, assim que chegou em casa ralhou com a mulher: "Como é que você nunca me falou sobre isso?" A mulher, uma dama simples, casta e inofensiva, disse: "Senhor, pensei que todos os homens tivessem o hálito com esse cheiro." É óbvio, portanto, que as faltas mais evidentes aos sentidos, vulgares e físicas, ou notórias ao mundo, ficamos sabendo mais rápido pelos inimigos do que por amigos e familiares.

PLUTARCO, c. 46-120 d.C.

Os homens apressam-se mais a retribuir um dano do que um benefício porque a gratidão é um peso e a vingança, um prazer.

TÁCITO,
c. 55-120 d.C.

e competência são muito mais importantes do que sentimentos de amizade. Todas as situações de trabalho exigem uma certa distância entre as pessoas. Você está tentando trabalhar, não fazer amigos; a amizade (real ou falsa) só obscurece esse fato. A chave do poder, portanto, é a capacidade de julgar quem é o mais capaz de favorecer os seus interesses em todas as situações.

Seus inimigos, por outro lado, são uma mina de ouro escondida que você deve aprender a explorar. Quando, em 1807, Talleyrand, o primeiro-ministro de Napoleão, concluiu que seu chefe estava levando a França à ruína e que chegara a hora de se voltar contra ele, compreendeu os perigos de conspirar contra o imperador; ele precisava de um parceiro, um confederado – em que amigo ele poderia confiar num projeto como esse? Ele escolheu Joseph Fouché, chefe da polícia secreta, seu inimigo mais odiado, um homem que até havia tentado fazer com que ele fosse assassinado. Ele sabia que o ódio antigo entre os dois criaria uma oportunidade para uma reconciliação emocional. Ele sabia que Fouché não esperaria nada dele, e de fato se esforçaria para provar que era merecedor da escolha de Talleyrand; uma pessoa que tem algo a provar moverá montanhas por você. Finalmente, ele sabia que este relacionamento com Fouché se basearia num interesse pessoal mútuo e não estaria contaminado por sentimentos pessoais. A escolha se mostrou perfeita; embora os conspiradores não conseguissem depor Napoleão, a união desses parceiros poderosos, mas improváveis, gerou muito interesse pela causa; lentamente começou a se espalhar a oposição ao imperador. E, a partir daí, Talleyrand e Fouché tiveram um proveitoso relacionamento de trabalho. Sempre que possível, faça as pazes com um inimigo e insista em colocá-lo a seu serviço.

Jamais deixe que a presença de inimigos o perturbe ou aflija – você está muito melhor com um ou dois adversários declarados do que quando não sabe quem é o seu verdadeiro inimigo. O homem de poder aceita o conflito, usando o inimigo para melhorar a sua reputação como um lutador seguro, em quem se pode confiar em épocas incertas.

Imagem: O Perigo da Ingratidão. Sabendo o que pode acontecer se você colocar o dedo na boca de um leão, é melhor não fazer isso. Com amigos você não terá tanta cautela e, se os contratar, eles o comerão vivo com a sua ingratidão.

ROBERT GREENE

Autoridade: Saiba tirar vantagem dos inimigos. Você precisa aprender que não é pela lâmina que se segura a espada, mas pelo punho, para poder se defender. O sábio lucra mais com seus inimigos do que o tolo com seus amigos (Baltasar Gracián, 1601-1658).

LEI 3

OCULTE AS SUAS INTENÇÕES

JULGAMENTO
Mantenha as pessoas na dúvida e no escuro, jamais revelando o propósito de seus atos. Não sabendo o que você pretende, não podem preparar uma defesa. Leve-as pelo caminho errado até bem longe, envolva-as em bastante fumaça e, quando elas perceberem as suas intenções, será tarde demais.

> *Não seja considerado uma fraude, ainda que hoje seja impossível viver sem o ser. Que a sua maior esperteza esteja em encobrir o que parece esperteza.*
>
> BALTASAR GRACIÁN, 1601-1658

AS CHAVES DO PODER

As pessoas na sua maioria são como um livro aberto. Elas dizem o que sentem, não perdem oportunidade de deixar escapar opiniões e, constantemente, revelam seus planos e intenções. Elas fazem isso por vários motivos. Primeiro, é fácil e natural querer sempre falar dos próprios sentimentos e planos para o futuro. É difícil controlar a língua e monitorar o que se revela. Segundo, muitos acreditam que sendo honestos e francos estão conquistando o coração das pessoas e mostrando a sua boa índole. Eles estão imensamente iludidos. A honestidade é na verdade uma faca sem fio, mais sangra do que corta.

A sua honestidade provavelmente vai ofender os outros; é muito mais prudente medir as suas palavras, dizer às pessoas o que elas querem ouvir, em vez da verdade nua e crua, que é o que você sente ou pensa. Mais importante, sendo despudoradamente franco você se torna tão previsível e familiar que é quase impossível inspirar respeito ou temor, e a pessoa que não desperta esses sentimentos não acumula poder.

Se você deseja poder, ponha imediatamente a honestidade de lado e comece a treinar a arte de dissimular suas intenções. Domine a arte e você prevalecerá sempre.

AS 48 LEIS DO PODER

Elementar para a habilidade de ocultar as próprias intenções é uma simples verdade sobre a natureza humana: nosso primeiro instinto é sempre o de confiar nas aparências. Não podemos sair por aí duvidando da realidade do que vemos e ouvimos – imaginar constantemente que as aparências ocultam algo mais nos deixaria exaustos e aterrorizados. Isto faz com que seja relativamente fácil ocultar as próprias intenções. Basta acenar com um objeto que você parece desejar, um objetivo que você parece querer alcançar, diante dos olhos das pessoas e elas tomarão a aparência como realidade.

Um modo de ocultar as suas intenções é falar sem parar sobre os seus desejos e objetivos – não só dos verdadeiros. Assim você mata três coelhos com uma cajadada só: você fica parecendo uma pessoa cordial, franca e confiante, esconde as suas intenções e despacha os seus rivais numa caça interminável a coisas que não existem.

Outra ferramenta eficaz para colocar as pessoas desorientadas é a falsa sinceridade. Elas confundem facilmente sinceridade com honestidade. Lembre-se – o primeiro instinto é o de confiar nas aparências, e como as pessoas valorizam a honestidade e *querem* acreditar na honesti-

FUJA ATRAVESSANDO O OCEANO À PLENA LUZ DO DIA

Isto significa criar uma fachada que acaba se tornando imbuída de uma atmosfera ou impressão de familiaridade dentro da qual o estrategista pode manobrar sem ser visto, enquanto todos os olhos são treinados para ver familiaridades óbvias.

THE JAPANESE ART OF WAR, THOMAS CLEARY, 1991

dade dos que as cercam, raramente irão duvidar de você ou perceber o que está fazendo. Parecer que está acreditando no que você mesmo diz dá um grande peso às suas palavras. Foi assim que Iago enganou e destruiu Otelo: diante da intensidade das suas emoções, da aparente sinceridade da sua preocupação com a suposta infidelidade de Desdêmona, como Otelo poderia desconfiar dele?

Se você acredita que impostores são gente interessante que ilude com mentiras rebuscadas e histórias incríveis, está muito enganado. Os melhores trapaceiros utilizam uma fachada amena e imperceptível que não chama atenção para si mesma. Eles sabem que gestos e palavras extravagantes despertam logo a desconfiança. Em vez disso, eles envolvem os seus alvos no que é familiar, banal, inofensivo.

Uma vez tendo atraído a atenção das pessoas com o que é familiar, elas não notarão a fraude sendo perpetrada pelas suas costas. Quanto mais cinza e uniforme o vapor na sua cortina de fumaça, melhor ela oculta as suas intenções.

A cortina de fumaça mais simples é a expressão facial. Por trás de um exterior inexpressivo, ilegível, todos os tipos de danos e prejuízos podem ser planejados sem que ninguém perceba. Esta é a arma que os homens mais poderosos da história aprenderam à perfeição. Dizem que ninguém decifrava o rosto de Franklin D. Roosevelt. O barão James Rothschild praticou a vida inteira a arte de disfarçar o que realmente estava pensando por trás de sorrisos delicados e olhares dúbios.

Lembre-se: é preciso paciência e humildade para apagar as suas cores brilhantes e colocar a máscara da pessoa insignificante. Não se desespere por ter de usar esta máscara apagada – quase sempre é a sua ilegibilidade que atrai os outros e faz você parecer poderoso.

Imagem: A Pele da Ovelha. A ovelha não saqueia, não engana, é magnificamente tola e dócil. Com a pele da ovelha nas costas, a raposa entra direto no galinheiro.

Autoridade: Já ouviu falar de um general muito hábil que pretende surpreender uma cidadela anunciando seus planos ao inimigo? Oculte os seus propósitos e esconda o seu progresso; não revele a extensão dos seus objetivos até ser impossível se opor a eles, até terminar o combate. Conquiste a vitória antes de declarar a guerra. Em resumo, imite aqueles guerreiros cujas intenções ninguém sabe, exceto o país destruído por onde eles passaram (Ninon de l'Enclos, 1623-1706).

LEI

4

DIGA SEMPRE MENOS DO QUE O NECESSÁRIO

JULGAMENTO
Quando você procura impressionar as pessoas com palavras, quanto mais você diz, mais comum aparenta ser e menos controle da situação parece ter. Mesmo que você esteja dizendo algo banal, vai parecer original se o tornar vago, amplo e enigmático. Pessoas poderosas impressionam e intimidam falando pouco. Quanto mais você fala, maior a probabilidade de dizer uma besteira.

Sem sorte, [o roteirista de cinema] Michael Arlen foi para Nova York em 1944. Para afogar suas tristezas, ele foi visitar o famoso restaurante 21. No saguão ele cruzou com Sam Goldwyn, que lhe deu o conselho um tanto quanto pouco prático de comprar cavalos de corrida. No bar, Arlen encontrou Louis B. Mayer, velho conhecido, que lhe perguntou sobre seus planos para o futuro. "Acabei de falar com Sam Goldwyn...", começou Arlen. "Quanto ele lhe ofereceu?", interrompeu Mayer. "Não o bastante", respondeu ele, evasivo. "Aceitaria quinze mil para trabalhar trinta

AS CHAVES DO PODER

O poder é de várias maneiras um jogo de aparências e, quando você diz menos do que o necessário, inevitavelmente parecerá maior e mais poderoso do que é. O seu silêncio deixará as outras pessoas pouco à vontade. Os seres humanos são máquinas de interpretar e explicar: precisam saber o que o outro está pensando. Se você controla cuidadosamente o que revela, eles não conseguirão penetrar nas suas intenções ou nos seus pensamentos.

As suas respostas curtas e silêncios irão colocá-los na defensiva, e eles ficarão ansiosos, nervosos, preenchendo o silêncio com todos os tipos de comentários que revelarão informações valiosas sobre eles mesmos e os seus pontos fracos. Eles sairão de um encontro com você sentindo-se como se tivessem sido roubados e irão para casa pensar em cada palavra que disse. Esta atenção extra aos seus breves comentários só contribuirá para o seu poder.

Quando jovem, o artista Andy Warhol teve a revelação de que era impossível convencer as pessoas a fazer o que se queria delas apenas conversando. Elas se voltariam contra você, subverteriam os seus desejos, desobedeceriam a você por simples perversidade. Certa vez ele disse a um amigo: "Aprendi que na verdade você tem mais poder quando fica de boca fechada."

No final da sua vida, Warhol usava esta estratégia com grande sucesso. Suas entrevistas eram exercícios de discurso oracular: ele dizia coisas vagas e ambíguas, e o entrevistador se contorcia tentando entender, imaginando haver nas suas frases, quase sempre sem sentido, algo profundo. Warhol raramente falava de seu trabalho, deixava a interpretação para os outros. Dizia ter aprendido esta técnica com o mestre do enigma, Marcel Duchamp, outro artista do século XX que cedo percebeu que, quanto menos falava de seu trabalho, mais as pessoas falavam sobre ele. E, quanto mais elas falavam, mais valiosas as suas obras ficavam.

Falando menos do que o necessário, você cria a aparência de significado e de poder. Também, quanto menos você diz, menor é o risco de falar uma bobagem ou até algo perigoso. Em 1825, um novo czar, Nicolau I, subiu ao trono da Rússia. Imediatamente houve uma rebelião liderada por liberais que exigiam que o país se modernizasse – que suas indústrias e estruturas civis se igualassem às do resto da Europa. Esmagando brutalmente esta revolta (a Insurreição de Dezembro), Nicolau I condenou à morte um de seus líde-

semanas?", *perguntou Mayer. Não houve hesitação desta vez. "Sim", disse Arlen.*

THE LITTLE, BROWN BOOK OF ANECDOTES, CLIFTON FADIMAN, ED., 1985 res, Kondrati Rileiev. No dia da execução, Rileiev subiu ao patíbulo, a corda no pescoço. O alçapão se abriu – mas, quando Rileiev ficou suspenso no ar, a corda se rompeu e ele foi ao chão. Na época, essas ocorrências eram sinal da Providência ou vontade divina e quem se salvasse da morte dessa forma costumava ser perdoado. Quando Rileiev se levantou, sujo e arranhado, mas acreditando que estava com o pescoço a salvo, gritou para a multidão: "Estão vendo, na Rússia não sabem fazer nada direito, nem mesmo uma corda!"

Um mensageiro seguiu imediatamente para o palácio de inverno com a notícia do enforcamento que não tinha acontecido. Apesar de irritado com essa reviravolta frustrante, Nicolau I começou a assinar o perdão. Mas então o czar perguntou ao mensageiro: "Rileiev disse alguma coisa depois deste milagre?" "Senhor", o mensageiro respondeu, "ele disse que na Rússia não se sabe nem fazer uma corda."

"Nesse caso", disse o czar, "vamos provar o contrário", e rasgou o perdão. No dia seguinte, Rileiev foi para a forca de novo. Desta vez a corda não se partiu.

Aprenda a lição: as palavras, depois de pronunciadas, não podem ser tomadas de volta. Mantenha-as sob controle. Cuidado particularmente com o sarcasmo: a satisfação momentânea que se tem dizendo frases sarcásticas será menor do que o preço que se paga por ela.

Imagem:
O Oráculo de Delfos. Quando as pessoas consultavam o oráculo, a sacerdotisa pronunciava algumas palavras enigmáticas que pareciam muito importantes e significativas. Ninguém desobedecia às palavras do oráculo – elas tinham poder sobre a vida e a morte.

Autoridade: Não abra a boca antes dos seus subordinados. Quanto mais você permanecer calado, mais rápido os outros começam a dar com a língua nos dentes. Quando eles movem os lábios e dão com a língua nos dentes, eu posso compreender suas verdadeiras intenções... Se o soberano não é misterioso, os ministros terão oportunidade de se aproveitar (Han-Fei-Tzu, filósofo chinês, século III a.C.).

A ostra se abre totalmente na lua cheia. Ao ver isso o caranguejo joga um pedacinho de pedra ou alga lá dentro e ela não pode mais se fechar, servindo de alimento para ele. Este é o destino de quem abre a boca demais e se coloca à mercê do seu ouvinte.

LEONARDO DA VINCI, 1452-1519

LEI 5

MUITO DEPENDE DA REPUTAÇÃO – DÊ A PRÓPRIA VIDA PARA DEFENDÊ-LA

JULGAMENTO

A reputação é a pedra de toque do poder. Com a reputação apenas você pode intimidar e vencer; um deslize, entretanto, e você fica vulnerável, será atacado por todos os lados. Torne a sua reputação inexpugnável. Esteja sempre alerta aos ataques em potencial e frustre-os antes que aconteçam. Enquanto isso, aprenda a destruir seus inimigos minando as suas próprias reputações. Depois, afaste-se e deixe a opinião pública acabar com eles.

AS 48 LEIS DO PODER

AS CHAVES DO PODER

As pessoas que nos cercam, até nossos melhores amigos, serão sempre até um certo ponto misteriosas e inescrutáveis. Suas personalidades possuem nichos secretos que elas não revelam. Se ficarmos pensando muito nisso, o mistério dos outros pode ser uma coisa incômoda porque tornaria impossível para nós julgar realmente as outras pessoas. Portanto, preferimos ignorar este fato e julgar as pessoas pela aparência, pelo que é mais visível aos nossos olhos – roupas, gestos, palavras, atos. Na esfera social, as aparências são o barômetro de quase todos os nossos julgamentos e você não deve se iludir acreditando em outra coisa. Um escorregão em falso, uma estranha ou repentina mudança na sua aparência, pode se mostrar desastroso.

Esta é a razão da suprema importância de fazer e manter uma reputação que tenha sido criada por você mesmo.

Essa reputação o protegerá do perigoso jogo das aparências, distraindo os olhos inquisidores dos outros, impedindo que eles saibam como você é realmente e dando-lhe um certo controle sobre como o mundo o julga – uma posição poderosa.

No início, você deve se esforçar para criar uma reputação por uma qualidade importante, seja generosidade, honestidade ou astúcia. Esta qualidade o colocará em

Pois, como diz Cícero, até quem discorda da fama quer que seus livros condenando-a tenham o seu nome no título e esperam ficar famosos por desprezá-la. Tudo mais está sujeito à barganha; deixamos que nossos amigos fiquem com nossos bens e nossas vidas se necessário for; mas casos em que dividimos a nossa fama e presenteamos alguém com a nossa reputação são difíceis de encontrar.

MONTAIGNE,
1533-1592

> *É mais fácil aguentar uma consciência suja do que uma reputação ruim.*
>
> FRIEDRICH NIETZSCHE, 1844-1900

evidência e fará com que falem de você. Aí, então, faça com que o maior número possível de pessoas conheça a sua reputação (sutilmente, entretanto: tome cuidado para construí-la aos poucos e sobre bases firmes), e veja como ela se espalha como fogo selvagem.

Uma sólida reputação aumenta a sua presença e exagera a sua força sem que você precise gastar muita energia. Ela também pode criar uma aura ao seu redor que infunde respeito, até medo. Nas lutas no deserto da África do Norte, durante a Segunda Guerra Mundial, o general alemão Erwin Rommel tinha fama por sua astúcia e pelas manobras dissimuladas que eram o terror de todos que o enfrentavam. Mesmo quando suas forças ficaram reduzidas, e os britânicos tinham cinco vezes mais tanques do que ele, cidades inteiras eram evacuadas com a notícia da sua aproximação.

Faça com que a sua reputação seja simples e baseada numa qualidade autêntica. Esta única qualidade – a eficiência, digamos, ou a sedução – torna-se uma espécie de cartão de visita que anuncia a sua presença e enfeitiça os outros.

Reputação é um tesouro que deve ser cuidadosamente colecionado e guardado. Especialmente quando você está começando, deve protegê-la rigidamente, prevendo todos os ataques. Quando ela estiver sólida, não fique com raiva ou na defensiva com os comentários difamadores de seus inimigos – isso revela insegurança, falta de confiança na sua reputação. Pegue o caminho mais fácil e jamais demonstre desespero na hora de se defender. Por outro lado, o ataque à reputação de outro homem é uma arma poderosa, particularmente se você tem menos poder do que ele. Ele tem muito mais a perder numa disputa como essa, e a sua própria reputação, ainda pequena, é um alvo pequeno quando ele tentar atirar de volta. Barnum usou essas campanhas com grande eficácia no início da carreira. Mas esta tática deve ser praticada com habilidade; você não deve parecer interessado numa vingança mesquinha. Se você não for esperto na hora de prejudicar a reputação do seu inimigo, estará inadvertidamente arruinando a sua.

Não exagere em ataques, porque chamará mais atenção para a sua própria índole vingativa do que para a pessoa que você está difamando. Quando a sua própria reputação é sólida, use táticas mais sutis, como a sátira e o ridículo, para enfraquecer o seu adversário enquanto você se mostra um charmoso brincalhão. O poderoso leão brinca com o camundongo que cruza o seu caminho – qualquer outra atitude prejudicaria a sua temível reputação.

ROBERT GREENE

Imagem:
A Mina de
Diamantes e Rubis.
Você cava e encontra. Sua
riqueza está garantida. Proteja-a
com a própria vida. Ladrões e assaltantes surgirão de todos os lados. Não
considere garantida a sua riqueza
e renove-a constantemente –
o tempo diminuirá o seu
brilho, por isso enterre-a onde não
possa ser
vista.

Autoridade: Portanto, eu desejaria que o cortesão defendesse o seu valor inerente com habilidade e astúcia, e garantisse que, onde quer que chegue como estrangeiro, seja precedido por uma boa reputação... Pois a fama que parece apoiar-se nas opiniões de muitos favorece uma certa fé inabalável no valor de um homem, o qual em seguida é facilmente reforçado nas mentes já predispostas e preparadas (Baldassare Castiglione, 1478-1529).

LEI

6

CHAME ATENÇÃO
A QUALQUER PREÇO

JULGAMENTO
Julga-se tudo pelas aparências; o que não se vê não conta. Não fique perdido no meio da multidão, portanto, ou mergulhado no esquecimento. Destaque-se. Fique visível a qualquer preço. Atraia as atenções parecendo maior, mais colorido, mais misterioso do que as massas tímidas e amenas.

A VESPA E O PRÍNCIPE

Uma vespa chamada Rabo de Agulha há muito procurava algo para fazer que a tornasse famosa para sempre. Um dia, ela entrou no palácio do rei e picou o principezinho que estava na cama. O príncipe acordou gritando muito. O rei e seus cortesãos correram para ver o que tinha acontecido. O príncipe gritava e a vespa continuava picando. Os cortesãos tentaram pegar a vespa, e cada um por sua vez também foi picado. Todos no palácio real correram para lá, rápido a notícia se espalhou e as pessoas vieram em bando. A cidade estava em polvorosa,

AS CHAVES DO PODER

Brilhar mais do que as pessoas que estão ao seu redor não é uma habilidade inata. Tem de se *aprender* a chamar a atenção, "com tanta certeza quanto o ímã atrai o ferro". No início da sua carreira, você deve associar o seu nome e reputação a uma qualidade, uma imagem, que o destacará dos outros. Esta imagem pode ser algo como um estilo de se vestir característico ou um cacoete da personalidade que diverte as pessoas e elas comentam. Uma vez estabelecida a imagem, você tem uma aparência, um lugar no céu para a sua estrela.

É um erro comum imaginar que esta sua aparência peculiar não deva ser polêmica, que ser atacado é uma coisa ruim. Nada está mais longe da verdade. Para evitar ser um sucesso frustrado ou ter a sua notoriedade eclipsada por outro, você não deve discriminar entre tipos diferentes de atenção; no final, todos lhe serão favoráveis.

Na corte de Luís XIV havia muitos escritores e artistas talentosos, grandes beldades, homens e mulheres de virtude impecável, mas ninguém era mais falado do que o singular duque de Lauzun. O duque era baixo, quase um anão, e inclinado aos tipos mais insolentes de comportamento – dormia com a amante do rei e insultava abertamente não só os outros cortesãos como o próprio rei. Luís, entretanto, se divertia tanto com as excentricidades do duque que não suportava as suas ausências da corte. Era simples: a estranheza da personalidade do duque chamava atenção. Uma vez enfeitiçados por ele, queriam-no por perto a qualquer custo. A sociedade gosta de figuras exageradas, pessoas que se colocam acima da mediocridade geral. Não tenha medo, portanto, das qualidades que o tornam diferente dos outros e chamam atenção para você. Corteje a controvérsia, até o escândalo. É melhor ser atacado, até caluniado, do que permanecer ignorado.

Se você se encontrar numa posição inferior, com pouca oportunidade de chamar atenção, um truque que funciona é atacar a pessoa mais visível, a mais famosa, a mais poderosa que encontrar. Quando Pietro Aretino, jovem criado doméstico romano do início do século XVI, quis chamar atenção como versejador, decidiu publicar uma série de poemas satíricos ridicularizando o papa e o seu afeto por um elefante domesticado. O ataque tornou Aretino conhecido imediatamente. Um ataque difamador a uma pessoa em posição de poder teria um efeito semelhante. Lembre-se, entretanto, de usar essas táticas raramente depois de chamar a atenção do público para não desgastá-la.

todos os negócios suspensos. Disse a vespa para si mesma, antes de morrer de tanto esforço: "Um nome sem fama é como fogo sem chama. Nada como chamar atenção a qualquer preço."

FÁBULA INDIANA

> *Mesmo quando ralham comigo, tenho a minha quota de fama.*
>
> Pietro Aretino, 1492-1556

Uma vez em evidência, você deve sempre renovar, adaptar e variar o seu método de chamar a atenção. De outra forma, o público se cansa, se acostuma com você e volta os olhos para uma nova estrela. O jogo requer constante vigilância e criatividade. Pablo Picasso jamais se deixava misturar com o pano de fundo; se o seu nome se tornava associado demais a um determinado estilo, ele deliberadamente confundia o público com uma nova série de quadros, contrariando todas as expectativas. Melhor criar algo feio e perturbador, acreditava ele, do que deixar que os espectadores se acostumassem demais com o seu trabalho. Compreenda: as pessoas se sentem superiores àquelas cujas ações elas são capazes de prever. Se você lhes mostrar quem está no controle jogando *contra* as suas expectativas, ao mesmo tempo infunde respeito e retesa os fios da atenção que estão escapulindo.

AS 48 LEIS DO PODER

Imagem:
Luzes da Ribalta.
O ator que se coloca sob as luzes dos refletores acentua a sua presença. Todos os olhos estão sobre ele. Só há espaço para um ator de cada vez sob esse estreito raio luminoso; faça o que for necessário para ficar em foco. Mova-se com gestos tão amplos, divertidos e escandalosos que a luz continue sobre você, enquanto os outros atores ficam na sombra.

Autoridade: Ostente e seja visto... O que não é visto é como se não existisse... Foi a luz que deu brilho a toda a criação. A exibição preenche muitos espaços vazios, encobre deficiências e faz tudo renascer, especialmente se apoiada pelo mérito autêntico (Baltasar Gracián, 1601-1658).

LEI

7

FAÇA OS OUTROS TRABALHAREM POR VOCÊ, MAS SEMPRE FIQUE COM O CRÉDITO

JULGAMENTO
Use a sabedoria, o conhecimento e o esforço físico dos outros em causa própria. Não só essa ajuda lhe economizará um tempo e uma energia valiosos, como lhe dará uma aura divina de eficiência e rapidez. No final, seus ajudantes serão esquecidos e você será lembrado. Não faça você mesmo o que os outros podem fazer por você.

AS 48 LEIS DO PODER

AS CHAVES DO PODER

A dinâmica do mundo do poder é a da selva: há os que vivem caçando e matando e há também um vasto número de criaturas (hienas, abutres) que vivem do que os outros caçam. Estes últimos, tipos menos imaginativos, com frequência são incapazes de fazer o trabalho essencial para a criação de poder. Eles compreendem desde cedo, entretanto, que, se esperarem bastante, sempre encontrarão outro animal para trabalhar por eles. Não seja ingênuo: agora mesmo, enquanto você se esforça em algum projeto, existem abutres ao redor tentando imaginar um jeito de sobreviver e até prosperar com a sua criatividade. É inútil ficar se queixando, ou sofrer amargurado. Melhor se proteger e aprender a jogar. Uma vez tendo estabelecido uma base de poder, torne-se você mesmo um abutre e poupe um bocado do seu tempo e energia.

O artista Rubens, no final da carreira, se viu inundado de pedidos de quadros. Ele criou um sistema: no seu grande estúdio ele empregava dezenas de grandes pintores, um especializado em mantos, outro em fundos e assim por diante. Ele criou uma vasta linha de produção em que um grande número de telas era feito ao mesmo tempo. Quando um cliente impor-

A GALINHA CEGA
Uma galinha que ficou cega e já estava acostumada a ciscar o chão à procura de alimento, apesar de não enxergar, continuava ciscando ativamente. De que servia isso para a tola trabalhadora? Outra galinha de boa visão, que poupava seus pés delicados, não saía do seu lado e se aproveitava, sem ciscar, do resultado do seu trabalho. Pois sempre que a galinha cega ciscava um grão de centeio, a companheira atenta o devorava.

FÁBULAS,
GOTTHOLD
LESSING,
1729-1781

Certamente, se o caçador confia na segurança do seu carro, usa as pernas dos seus seis cavalos e faz Wang Liang segurar as rédeas, então ele não se cansa e acha fácil pegar animais ligeiros. Agora, suponha que ele despreze as vantagens do carro, desista das pernas úteis dos cavalos e da habilidade de Wang Liang e desça para correr atrás dos animais. Então, mesmo que suas pernas sejam tão rápidas quanto as de Lou Chi, ele não chegaria a tempo para pegar os animais. De fato, quando se usa bons cavalos e bons carros, bastam simples criados e criadas para pegar os animais.

HAN-FEI-TZU, FILÓSOFO CHINÊS DO SÉCULO III a.C.

tante o visitava no estúdio, Rubens dava folga aos seus pintores contratados. Enquanto o cliente ficava observando de um balcão, Rubens trabalhava num ritmo incrível, com inacreditável energia. O cliente saía maravilhado com este homem prodigioso, capaz de pintar tantas obras de arte em tão pouco tempo.

Esta é a essência da Lei: aprenda a fazer com que os outros trabalhem por você enquanto fica com o crédito, e parecerá que tem energia e poder divinos. Se você acha importante fazer o trabalho todo sozinho, não irá muito longe e vai sofrer o destino dos Balboa e Tesla da vida. Encontre pessoas com as habilidades e a criatividade que você não tem. Contrate-as e coloque o seu nome em primeiro lugar na frente dos nomes delas, ou descubra um jeito de roubar o trabalho delas e dizer que foi você quem fez. A criatividade delas, portanto, se torna sua e o mundo o verá como um gênio.

Existe uma outra aplicação desta lei que não exige que você explore o trabalho dos seus contemporâneos: use o passado, um vasto arsenal de conhecimento e sabedoria. Isaac Newton chamou isso de "subir nos ombros de gigantes". Ele queria dizer que, ao fazer suas descobertas, ele tinha se baseado em conquistas alheias. A grande parte da sua aura de gênio, ele sabia, podia ser atribuída à sua sagaz habilidade para aproveitar ao máximo as visões dos cientistas da Antiguidade, medievais ou renascentistas. Shakespeare pediu emprestado enredos, caracterizações e até diálogos de Plutarco, pois sabia que ninguém suplantava esse autor, entre outros, na sutil psicologia e nas citações espirituosas. Quantos outros autores depois, por sua vez, tomaram emprestado – *plagiaram* – de Shakespeare?

Escritores que se aprofundaram na natureza humana, antigos mestres da estratégia, historiadores da estupidez e loucura humana, reis e rainhas que aprenderam da maneira mais difícil a lidar com o peso do poder – o conhecimento deles está acumulando poeira, esperando que você suba nos seus ombros. A sagacidade deles pode ser a sua sagacidade, a capacidade deles pode ser a sua capacidade e eles não virão dizer que você não tem nada de original. Você pode batalhar, cometer erros sem fim, gastar tempo e energia tentando fazer coisas a partir da sua própria experiência. Ou pode usar os exércitos do passado. Como disse Bismarck certa vez, "Os tolos dizem que aprendem pela experiência. Eu prefiro aproveitar a experiência dos outros".

Imagem: O Abutre. De todas as criaturas na selva, ele é o que tem a vida mais fácil. O trabalho difícil dos outros é o seu trabalho; o fracasso dos outros em sobreviver se torna o seu alimento. Fique de olho no Abutre – enquanto você está se esforçando, ele sobrevoa. Não lute contra ele, junte-se a ele.

Autoridade: Há muito o que saber, a vida é curta, e a vida não é vida sem conhecimento. É, por conseguinte, um excelente truque adquirir o conhecimento de todo mundo. Assim, enquanto os outros suam, você ganha a reputação de um oráculo (Baltasar Gracián, 1601-1658).

LEI 8

FAÇA AS PESSOAS VIREM ATÉ VOCÊ – USE UMA ISCA, SE FOR PRECISO

JULGAMENTO

Quando você força os outros a agir, é você quem está no controle. É sempre melhor fazer o seu adversário vir até você, abandonando seus próprios planos no processo. Seduza-o com a possibilidade de ganhos fabulosos – depois ataque. É você quem dá as cartas.

> *Quando coloco a isca para cervos não atiro na primeira corça que vem para cheirar, mas espero que todo o rebanho esteja reunido.*
>
> OTTO VON BISMARCK, 1815-1898

AS CHAVES DO PODER

Quantas vezes este cenário se repetiu na história: um líder agressivo inicia uma série de movimentos ousados que começam por lhe trazer muito poder. Lentamente, entretanto, o seu poder chega a um ponto máximo e em breve tudo se volta contra ele. Seus inúmeros inimigos se unem; tentando manter o seu poder, ele se esgota indo de um lado para outro e, inevitavelmente, entra em colapso. O motivo para este padrão é que a pessoa agressiva raramente está em pleno controle da situação. Ela não enxerga mais do que um ou dois movimentos adiante, não pode ver as consequências deste ou daquele movimento ousado. Como está constantemente sendo forçada a reagir aos movimentos do seu crescente exército de inimigos, e às consequências imprevisíveis das suas próprias ações temerárias, sua energia agressiva se volta contra ela.

Na esfera do poder, você deve se perguntar: de que adianta correr daqui para ali, tentando solucionar problemas e derrotar inimigos, se nunca me sinto no controle? Por que tenho sempre de reagir aos acontecimentos, em vez de direcioná-los? A resposta é simples: a sua ideia de poder está errada. Você confunde atitudes agressivas com atitudes eficazes. E, quase sempre, o que funciona melhor é ficar parado, manter a calma e deixar que os outros se frustrem com as armadilhas que você coloca para eles, jogando para conquistar o poder a longo prazo e não para alcançar uma vitória rápida.

Lembre-se: a essência do poder é a capacidade de ter a iniciativa, fazer com que os outros reajam aos *seus* movimentos, deixar o seu adversário e as pessoas ao seu redor na defensiva. Quando faz as pessoas irem até você, de repente é você que está no controle da situação. E quem controla tem o poder. Duas coisas precisam acontecer para colocá-lo nesta posição: você mesmo tem de aprender a dominar suas emoções e jamais se deixar levar pela raiva; enquanto isso, deve aproveitar a tendência natural das pessoas de reagir com raiva quando forçadas e enganadas. A longo prazo, a capacidade de fazer as pessoas irem até você é uma arma muito mais poderosa do que qualquer ferramenta agressiva.

Uma outra vantagem em fazer o adversário ir até você, como os japoneses descobriram com os russos, é que isso o força a operar no seu território. Estar em terreno hostil o deixa nervoso e quase sempre ele se afoba e comete erros. Em negociações ou reuniões é sempre mais sensato atrair os outros para o seu território ou para o que você escolher. Você tem os seus referenciais, enquanto ele não vê

nada familiar e fica sutilmente colocado na defensiva.
A manipulação é um jogo perigoso. Quando alguém desconfia de que está sendo manipulado, fica cada vez mais difícil de controlar. Mas quando faz o seu adversário chegar até você, cria a ilusão de que é ele que está no controle. Tudo depende da doçura da sua isca. Se a sua armadilha é atraente o bastante, a turbulência das emoções e desejos dos seus inimigos não os deixará ver a realidade. Quanto mais gananciosos eles se tornam, mais podem ser levados de um lado para outro.

Imagem: A Armadilha do Pote de Mel. O caçador de ursos não caça a sua presa; é quase impossível pegar um urso que sabe que está sendo caçado, e ele fica feroz se encurralado. Em vez disso, o caçador coloca armadilhas com iscas de mel. Ele não se exaure nem arrisca a sua vida. Coloca a isca e fica esperando.

Autoridade: Os bons guerreiros fazem os outros irem até eles e não vão até os outros. Este é o princípio do vazio e do cheio na relação do eu com o outro. Se você induz os adversários a irem até você, a força deles se esvazia; desde que você não vá até eles, a sua força estará sempre cheia. Atacar o vazio com o cheio é como jogar pedras em ovos (Zhang Yu, comentarista do século XI sobre *A arte da guerra*).

LEI

9

VENÇA POR SUAS ATITUDES, NÃO DISCUTA

JULGAMENTO
Qualquer triunfo momentâneo que tenha alcançado discutindo é na verdade uma vitória de Pirro: o ressentimento e a má vontade que você desperta são mais fortes e permanentes do que qualquer mudança momentânea de opinião. É muito mais eficaz fazer os outros concordarem com você por suas atitudes sem dizer uma palavra. Demonstre, não explique.

AS 48 LEIS DO PODER

AS CHAVES DO PODER

Na esfera do poder, você deve aprender a julgar seus movimentos por seus efeitos a longo prazo sobre as outras pessoas. O problema em tentar provar que está certo ou conseguir uma vitória com argumentos é que no final você nunca tem certeza de como isso afeta as pessoas com quem está discutindo: elas podem parecer concordar com você por educação, mas intimamente ficam magoadas. Ou talvez algo que você disse inadvertidamente até as ofendeu – as palavras têm uma insidiosa capacidade de ser interpretadas de acordo com o estado de humor ou insegurança da outra pessoa. Até mesmo o melhor argumento não tem fundamentos sólidos, pois todos nós desconfiamos da natureza escorregadia das palavras. E dias depois de concordar com alguém, com frequência voltamos à nossa antiga opinião só por hábito.

Compreenda isto: palavras custam um tostão a dúzia. Todos sabem que, no calor da discussão, nós todos falamos qualquer coisa para defender a nossa causa. Citamos a Bíblia, mencionamos estatísticas não averiguáveis. Quem se convence com essas bolhas de ar? Atitudes e demonstrações têm muito mais poder e sentido. Elas estão ali, diante dos nossos olhos – "Sim, agora o nariz da estátua parece correto." Não há termos ofensivos, nenhuma possibilidade de mal-entendidos. Ninguém po-

Os trabalhos de Amásis

Quando Apries foi deposto como descrevi, Amásis subiu ao trono. Ele pertencia ao distrito de Saís e era nativo da cidade chamada Siuph. No início, os egípcios mostraram desprezo e não o consideraram muito bem devido a sua origem humilde e sem distinção; porém, mais tarde, ele espertamente os dominou, sem recorrer a medidas ríspidas. Entre os seus inúmeros tesouros, ele tinha um lava-pés de ouro, que ele e seus hóspedes usavam ocasionalmente para se lavar. Este ele quebrou, e com o material mandou fazer uma estátua de um dos deuses, que depois *colocou no lugar que achou mais adequado na cidade. Os egípcios que passavam constantemente pela estátua a tratavam com profunda reverência, e assim que Amásis soube do efeito que causara sobre eles, convocou uma reunião e revelou que a estátua tão reverenciada tinha sido um objeto, onde eles lavavam os pés, urinavam e vomitavam. Ele seguiu dizendo que o seu caso era muito parecido, pois que um dia ele fora uma pessoa comum e agora era o rei deles; de forma que, assim como eles começaram a reverenciar o lava-pés transformado, eles deviam*

de discutir com uma prova visível. Como Baltasar Gracián observa, "A verdade é geralmente vista, raramente ouvida".

Sir Christopher Wren foi a versão inglesa do homem renascentista. Ele havia dominado as ciências da matemática, astronomia, física e fisiologia. No entanto, durante a sua carreira extremamente longa como o mais famoso arquiteto da Inglaterra, seus patronos com frequência lhe diziam para fazer alterações pouco práticas em seus projetos. Nem uma só vez ele discutiu ou ofendeu. Tinha outras maneiras de provar que estava com a razão.

Em 1688, Wren projetou um magnífico prédio para a prefeitura da cidade de Westminster. O prefeito, entretanto, não ficou satisfeito; de fato, estava nervoso. Ele disse a Wren que temia que o segundo andar não estivesse firme e que pudesse vir abaixo destruindo o seu escritório no primeiro andar. Ele exigiu que Wren acrescentasse duas colunas de pedra como um apoio extra. Wren, excelente engenheiro, sabia que estas colunas não serviriam de nada e que os temores do prefeito não tinham fundamento. Mas ele as construiu e o prefeito agradeceu. Só anos mais tarde é que os operários, em cima de um andaime alto, viram que as colunas terminavam pouco antes do teto.

Eram falsas. Mas os dois homens conseguiram o que desejavam: o prefeito pôde

relaxar e Wren garantiu que a posteridade soubesse que o seu projeto original funcionava e que as colunas eram desnecessárias.
  O poder de demonstrar a sua ideia é que os seus adversários não ficam na defensiva, e por conseguinte estão mais dispostos a ser convencidos. Fazê-los sentir literal e fisicamente o que você quer dizer é muitíssimo mais eficaz do que discutir.
  Quando a meta é ter poder, ou tentar conservá-lo, busque sempre a via indireta. E também escolha com cuidado as suas batalhas. Se a longo prazo não tiver importância que a outra pessoa concorde ou não com você – ou se o tempo e a própria experiência a fizerem compreender o que você quer dizer –, então é melhor nem mesmo se preocupar em mostrar nada. Poupe a sua energia e afaste-se.

honrá-lo e respeitá-lo mais também. Assim, os egípcios foram persuadidos a aceitá-lo como seu senhor.
AS HISTÓRIAS, HERÓDOTO, SÉCULO V a.C.

Imagem: A Gangorra. Para cima e para baixo, para cima e para baixo seguem os que discutem, sem chegar rápido a lugar algum. Desça da gangorra e mostre a eles o que você quer dizer sem forçar nada. Deixe-os no topo e que a gravidade os traga gentilmente até o chão.

Autoridade: Não discuta. Em sociedade nada deve ser discutido: dê apenas resultados (Benjamin Disraeli, 1804-1881).

LEI

10

CONTÁGIO: EVITE O INFELIZ E AZARADO

JULGAMENTO

A miséria alheia pode matar você – estados emocionais são tão contagiosos quanto as doenças. Você pode achar que está ajudando o homem que se afoga, mas só está precipitando o seu próprio desastre. Os infelizes às vezes provocam a própria infelicidade; vão provocar a sua também. Associe-se, ao contrário, aos felizes e afortunados.

AS 48 LEIS DO PODER

AS CHAVES DO PODER

Aqueles infelizes derrubados por circunstâncias fora do seu controle merecem toda a nossa ajuda e simpatia. Mas há outros que não nasceram infelizes ou desventurados, mas atraem a infelicidade e a desventura com seus atos destrutivos e o efeito perturbador que exercem sobre os outros. Seria ótimo se pudéssemos chamá-los de volta à vida, mudar seus padrões, mas quase sempre são esses padrões que são assimilados por nós e nos mudam. A razão é simples – os seres humanos são extremamente suscetíveis a humores, emoções e até maneiras de pensar daqueles com quem convivem.

Compreenda isto: no jogo do poder, as pessoas com quem você se associa são importantíssimas. O risco de se associar a contaminadores é que você desperdiça tempo e energia preciosos para se livrar disso. Culpado por uma espécie de associação, você também será um sofredor aos olhos dos outros. Jamais subestime o perigo do contágio.

Só tem uma solução para este contágio: a quarentena. O perigo é que estes tipos infecciosos costumam se apresentar como vítimas, dificultando que se veja, de início, as suas misérias como autoinfligidas. Quando você reconhece o problema, às vezes já é tarde demais. Como se proteger de vírus tão insidiosos? A respos-

A NOZ E O CAMPANÁRIO

Uma noz foi levada por um corvo até o topo de um alto campanário e, caindo numa fresta na parede, conseguiu escapar ao seu terrível destino. Ela então suplicou à parede que a abrigasse, invocando a Graça de Deus, louvando a sua altura e beleza e o nobre tom de seus sinos. "Ai de mim!", continuou. "Como não fui capaz de cair sob os verdes ramos da minha velha mãe e me deitar no terreno pousio coberta por suas folhas secas. Você, pelo menos, não me abandone. Quando me vi no bico do cruel corvo, jurei que se escapasse terminaria a minha vida num pequeno buraco."

> *Ouvindo estas palavras, a parede, compadecida, de bom grado abrigou a noz ali onde ela havia caído. Em breve, a noz se abriu: as raízes se estenderam pelas fendas forçando a passagem; os brotos avançaram em direção ao céu. Logo estavam mais altos do que o prédio e, à medida que as raízes retorcidas engrossavam, iam derrubando paredes e deslocando as velhas pedras. Então a parede, tarde demais e inutilmente, lamentou a causa da sua destruição, e em pouco tempo só restavam ruínas.*
>
> LEONARDO DA VINCI, 1452-1519

ta está em julgar as pessoas pelo efeito que têm sobre o mundo e não pelas razões que dão para os seus problemas. Pessoas contagiantes podem ser reconhecidas pela desgraça que atraem para si mesmas, o seu passado turbulento, a sua longa série de relacionamentos que não deram certo, as suas carreiras instáveis e a própria força do caráter delas que arrasta você e o faz perder a cabeça. Cuidado com estes sinais de um contagiante, aprenda a reconhecer o descontente de cara. Mais importante de tudo, não tenha pena. Não se complique tentando ajudar. Fuja da presença de um contagiante, ou sofra as consequências.

O outro aspecto da contaminação é igualmente válido, e talvez mais fácil de compreender: há pessoas que atraem a felicidade com o seu bom humor, com a sua natural animação e inteligência. Elas são fonte de prazer e você deve se associar a elas para partilhar a prosperidade que atraem sobre si mesmos.

Não estamos falando apenas de bom humor e sucesso: todas as qualidades positivas podem nos contagiar. Talleyrand tinha muitos traços estranhos e intimidadores; a maioria das pessoas, entretanto, concordava que ele era, entre os franceses, o mais elegante, aristocrático e inteligente. Na verdade, ele era de uma das famílias nobres mais antigas do país e, apesar da sua crença na democracia e na República francesa, conservava as suas maneiras da corte. Napoleão, seu contemporâneo, era o oposto – um camponês da Córsega, taciturno e deselegante, até violento.

Não havia ninguém que Napoleão admirasse mais do que a Talleyrand. Ele invejava a maneira como o ministro tratava o povo, a inteligência e habilidade com que deixava as mulheres encantadas e, na medida do possível, conservava Talleyrand ao seu lado esperando assimilar a cultura que lhe faltava. Não há dúvida de que Napoleão mudou com o andar do seu governo. Muitas asperezas foram polidas com sua constante associação com Talleyrand.

Tire proveito do aspecto positivo desta osmose emocional. Se você for triste por natureza, por exemplo, jamais ultrapassará um certo limite; apenas as almas generosas atingem a grandeza. Associe-se com os generosos, portanto, e eles o contaminarão, soltando o que está apertado e contido dentro de você. Se você é melancólico, gravite em torno das pessoas animadas. Se tender ao isolamento, force-se a ser amigo do gregário. Jamais se associe com quem tem os seus mesmos defeitos – eles reforçarão tudo o que trava o seu caminho. Crie associações apenas com afinidades positivas. Que esta seja uma regra de vida e você se beneficiará mais do que com todas as terapias do mundo.

Imagem: Um Vírus. Invisível, ele entra pelos seus poros sem avisar, espalhando-se em silêncio e lentamente. Antes que você se dê conta da infecção, ele já está bem dentro de você.

Autoridade: Reconheça o afortunado de modo a poder escolher a sua companhia, e o desafortunado para poder evitá-la. O infortúnio é em geral uma tolice, e entre os que sofrem dela não há doença mais contagiosa: não abra a sua porta para a menor das infelicidades, pois, se o fizer, muitas outras virão em seguida... Não morra da infelicidade alheia (Baltasar Gracián, 1601-1658).

LEI 11

APRENDA A MANTER AS PESSOAS DEPENDENTES DE VOCÊ

JULGAMENTO
Para manter a sua independência você deve sempre ser necessário e querido. Quanto mais dependerem de você, mais liberdade você terá. Faça com que as pessoas dependam de você para serem felizes e prósperas, e você não terá nada o que temer. Não lhes ensine o bastante a ponto de poderem se virar sem você.

> OS DOIS CAVALOS
>
> *Dois cavalos transportavam cargas. O da frente ia bem, mas o de trás era preguiçoso. Os homens começaram a empilhar a carga do cavalo de trás sobre o da frente; depois de transferirem tudo, o cavalo de trás, aliviado, disse para o da frente: "Labuta e sua! Quanto mais você tentar, mais terá de sofrer." Ao chegar à taverna, o dono falou: "Por que devo alimentar dois cavalos se transportei tudo num só? É melhor dar a um toda a comida que ele quiser e cortar a garganta do outro. Pelo menos aproveito o couro." E assim fez.*
>
> FÁBULAS, LEON TOLSTÓI, 1828-1910

AS CHAVES DO PODER

Poder é a capacidade de conseguir que os outros façam o que você quer. Se você consegue isso sem forçar nem magoar as pessoas, se elas de boa vontade lhe dão o que você deseja, então o seu poder é intocável. A melhor maneira de alcançar esta posição é criando uma relação de dependência. O senhor precisa dos seus serviços; ele é fraco, ou incapaz de funcionar sem você, que se misturou de tal forma no trabalho dele que, eliminando-o, ele ficaria em grandes dificuldades, ou pelo menos perderia um tempo precioso para treinar outra pessoa para substituir você. Uma vez estabelecida uma relação dessas você é quem tem o controle, a influência para forçar o senhor a fazer o que você quer. É o caso clássico do homem por trás do trono, o servo do rei que na verdade controla o rei.

Não seja como tantos que se enganam acreditando que poder é independência. O poder implica um relacionamento entre as pessoas; você sempre vai precisar dos outros como aliados peões, ou até como senhores fracos que lhe servem de fachada.

Se você não se faz necessário, então estará acabado na primeira oportunidade. Alguém mais jovem, mais inexperiente, mais barato, menos ameaçador tomará o seu lugar. Não se arrisque; faça os outros dependerem de você. Livrar-se de você talvez seja um desastre e o seu chefe não ousa tentar a sorte descobrindo isso. Há muitas maneiras de se alcançar essa posição. A principal é ter talento e criatividade, que simplesmente não podem ser substituídos. Você não precisa ser um gênio, precisa ter habilidades que o façam destacar-se do grupo. Você deve criar uma situação tal que possa sempre se apegar a outro senhor ou patrono, mas que o seu senhor não seja capaz de encontrar facilmente outro servo com o seu talento particular. E se, na realidade, você não for mesmo indispensável, deve encontrar um jeito de parecer que é. Aparentar ser dono de um conhecimento e uma habilidade especializados lhe dá uma margem de segurança para fazer os seus superiores acharem que não vivem sem você.

Henry Kissinger conseguiu sobreviver a muitas sangrias na Casa Branca de Nixon, não porque fosse o melhor diplomata que o presidente poderia encontrar – havia outros ótimos negociadores – e também não porque os dois se dessem bem: eles não se davam. Nem compartilhavam das mesmas crenças e políticas. Kissinger sobreviveu porque estava arraigado em tantas áreas da estrutura política que o seu afastamento representava o caos. O poder de Michelan-

Assim o príncipe sábio pensará nos meios para manter seus cidadãos de todas as espécies, e em qualquer circunstância, dependentes do estado e dele; e então eles serão sempre confiáveis.

NICOLAU
MAQUIAVEL,
1469-1527

gelo era *concentrado*, dependia de uma só habilidade, a sua habilidade de artista; o de Kissinger era *abrangente*. Ele se envolveu em tantos aspectos e departamentos da administração que esse envolvimento se tornou um trunfo na sua mão. E também lhe conquistou muitos aliados. Se você conseguir uma posição como essa, vai ser perigoso se livrar de você – surgirão vários tipos de interdependências.

Um último aviso: não pense que o seu senhor, porque depende de você, vai amá-lo. De fato, ele pode se ressentir e ter medo de você. Mas, como disse Maquiavel, é melhor ser temido do que amado. O medo você pode controlar; o amor, não. Depender de sentimentos tão sutis e inconstantes como amor ou amizade só deixa você inseguro. É melhor que os outros dependam de você por temer as consequências de perdê-lo do que por gostar da sua companhia.

Imagem: Trepadeira com Muitos Espinhos.
    Embaixo, as raízes se espalham, profundas. Por cima, a trepadeira se
    emaranha nos arbustos, se enrosca nas árvores, postes e beirais de janela.
    Livrar-se dela dá tanto trabalho que é mais fácil deixá-la subir.

Autoridade: Faça as pessoas dependerem de você. Ganha-se mais com essa dependência do que cortejando-as. Quem já saciou a sua sede dá logo as costas para a fonte, não precisando mais dela. Não havendo dependência, desaparecem também a civilidade e a decência, e depois o respeito. A primeira coisa que se aprende com a experiência é manter viva a esperança, porém nunca satisfeita, manter até um patrono real sempre precisando de você (Baltasar Gracián, 1601-1658).

LEI 12

USE A HONESTIDADE E A GENEROSIDADE SELETIVAS PARA DESARMAR A SUA VÍTIMA

JULGAMENTO

Um gesto sincero e honesto encobrirá dezenas de outros desonestos. Até as pessoas mais desconfiadas baixam a guarda diante de atitudes francas e generosas. Uma vez que a sua honestidade seletiva as desarma, você pode enganá-las e manipulá-las à vontade. Um presente oportuno – um cavalo de Troia – será igualmente útil.

AS CHAVES DO PODER

A essência da trapaça é a distração. Distraindo as pessoas a quem pretende enganar, você ganha tempo e espaço para fazer algo que elas não perceberão. Um gesto delicado, generoso ou honesto muitas vezes é a forma mais eficaz de distração porque desarma as suspeitas da outra pessoa. Elas ficam como crianças, aceitando ansiosas qualquer demonstração de afeto. Na antiga China, isto se chamava "dar antes de tomar" – o dar dificulta à outra pessoa perceber o tomar. É um artifício de infinita utilidade prática. Tomar alguma coisa de alguém, descaradamente, é perigoso, até para os poderosos. A vítima vai tramar uma vingança. Também é perigoso pedir apenas, ainda que gentilmente, aquilo de que você precisa: a não ser que a outra pessoa veja nisso algum lucro, ela pode se ressentir com a sua necessidade. Aprenda a dar antes de tomar. Isso prepara o terreno, torna menos desagradável uma futura solicitação ou simplesmente cria uma distração. E o dar pode ter várias formas: um presente real, um gesto generoso, um favor, um reconhecimento "honesto" – o que for necessário.

É melhor usar a honestidade seletiva logo no primeiro encontro. Somos todos criaturas de hábitos e nossas primeiras impressões duram muito. Se alguém acre-

FRANCESCO BORRI, CORTESÃO VIGARISTA

Francesco Giuseppe Borri, de Milão, cuja morte em 1695 se deu bem no fim do século XVII... foi um precursor daquele tipo especial de aventureiro vigarista, o cortesão ou "cavalheiro" impostor... Seus verdadeiros dias de glória começaram quando ele se mudou para Amsterdã. Lá ele adotou o título de Medico Universale, *manteve um grande séquito, e andava de um lado para outro numa carruagem puxada por seis cavalos. Os pacientes afluíam em grande número e alguns inválidos se faziam*

LEI 12 | 73

transportar, em liteiras, de Paris até a sua casa em Amsterdã. Borri não aceitava pagamento por suas consultas: distribuía grandes somas entre os pobres e nunca se soube que recebesse dinheiro ou letras de câmbio pelo correio. Não obstante, como ele continuava vivendo com tanto luxo, supunha-se que possuísse a pedra filosofal. De repente, este benfeitor desapareceu de Amsterdã. Descobriu-se então que havia levado com ele dinheiro e diamantes que estavam sob sua custódia.

THE POWER OF THE CHARLATAN, GRETE DE FRANCESCO, 1939

ditar desde o início que você é honesto, vai demorar para convencer essa pessoa do contrário. Você ganha espaço para manobra.

Em geral, não basta uma única atitude honesta. O que é necessário é a reputação de pessoa honesta, baseada numa série de atitudes – mas estas podem ser bastante inconsequentes.

Na antiga China, o duque Wu de Cheng decidiu que era hora de assumir o comando do reino cada vez mais poderoso de Hu. Sem contar a ninguém o que planejava, casou a filha com o governante de Hu. Depois reuniu um conselho e perguntou aos seus ministros: "Estou pensando numa campanha militar. Que país devemos invadir?" Como tinha esperado, um dos seus ministros retrucou: "Hu deve ser invadido." O duque pareceu se zangar e disse: "Hu agora é um Estado irmão. Por que sugere invadi-lo?" E mandou executar o ministro por sua observação pouco política. O governante de Hu soube disso e, levando em conta outras provas da honestidade de Wu e o casamento com a sua filha, não tomou precauções para se defender de Cheng. Poucas semanas depois, as forças de Cheng invadiram Hu, tomaram o país e nunca mais devolveram.

A honestidade é uma das melhores formas de desarmar o previdente, mas não a única. Qualquer tipo de atitude nobre, aparentemente altruísta, serve. Talvez a melhor, entretanto, seja a generosidade. Raras são as pessoas que resistem a um presente, mesmo do inimigo mais ferrenho, por isso esta costuma ser a maneira perfeita de desarmar as pessoas. Um presente desperta em nós a criança, derrubando na mesma hora as nossas defesas. Apesar de olharmos com descrença o comportamento das outras pessoas, raramente vemos o elemento maquiavélico de um presente, com frequência escondendo segundas intenções. Um presente é o objeto perfeito para esconder uma atitude falsa.

Esta tática tem de ser praticada com cautela: se as pessoas perceberem, seus sentimentos frustrados de gratidão e simpatia se tornarão os mais violentos e desconfiados. A não ser que você consiga fazer o gesto parecer profundamente sincero, não brinque com o fogo.

Imagem: O Cavalo de Troia. A sua astúcia se esconde dentro de um magnífico presente irresistível para o seu adversário. As muralhas se abrem. Uma vez lá dentro, destrua tudo.

Autoridade: Quando o duque Hsien de Chin estava para atacar de surpresa Yu, ele presenteou a cidade com uma peça de jade e uma junta de cavalos. Quando o conde Chih estava para atacar de surpresa Ch'ou-yu, ele os presenteou com duas grandes carruagens. Daí o ditado: "Quando se vai tomar, deve-se dar" (Han-Fei--Tzu, filósofo chinês, século III a.C.).

LEI 13

AO PEDIR AJUDA, APELE PARA O EGOÍSMO DAS PESSOAS, JAMAIS PARA A SUA MISERICÓRDIA OU GRATIDÃO

JULGAMENTO

Se precisar pedir ajuda a um aliado, não se preocupe em lembrar a ele a sua assistência e boas ações no passado. Ele encontrará um meio de ignorar você. Em vez disso, revele algo na sua solicitação, ou na sua aliança com ele, que o vá beneficiar e exagere na ênfase. Ele reagirá entusiasmado se vir que pode lucrar alguma coisa com isso.

O CAMPONÊS E A
MACIEIRA

Um camponês tinha no seu jardim uma macieira que não dava frutos, servia apenas de poleiro para pardais e gafanhotos. Ele resolveu cortá-la fora e, pegando o seu machado, golpeou firme as suas raízes. Os gafanhotos e os pardais lhe imploraram para não cortar a árvore que lhes servia de abrigo, que a poupasse, e eles cantariam para ele e alegrariam o seu trabalho. O camponês não deu atenção ao pedido e desfechou sobre a árvore o segundo e o terceiro golpes com o machado. Atingindo o oco da árvore ele encontrou uma colmeia cheia de

AS CHAVES DO PODER

Na sua busca de poder, você vai se encontrar constantemente na posição de ter que pedir ajuda aos mais poderosos. Pedir ajuda é uma arte, que depende da sua capacidade para compreender a pessoa com quem está lidando, e não confundir o que você precisa com as necessidades dela.

As pessoas, na sua maioria, não conseguem isso, porque estão totalmente presas aos seus próprios desejos e necessidades. Elas começam supondo que as pessoas com quem estão lidando têm um interesse altruísta em ajudá-las. Falam como se as suas necessidades tivessem alguma importância para estas pessoas – que provavelmente não estão dando a mínima. Às vezes elas se referem a questões maiores: uma grande causa ou emoções grandiosas, como amor e gratidão. Preferem o quadro geral, quando as simples realidades cotidianas seriam muito mais atraentes. O que elas não percebem é que até a pessoa mais poderosa está presa ao seu próprio conjunto de necessidades, e que se você não acenar para o seu egoísmo ela simplesmente o verá como alguém desesperado ou, na melhor das hipóteses, uma perda de tempo.

Um passo essencial nesse processo é compreender a psicologia do outro. Ele é vaidoso? Está preocupado com a sua reputação ou posição social? Tem inimigos que você poderia ajudar a vencer? A sua motivação é apenas o dinheiro e o poder? Quando os mongóis invadiram a China, no século XII, eles ameaçavam apagar uma cultura próspera com mais de dois mil anos. Seu líder, Genghis Khan, não via nada na China, a não ser um país sem pastos para seus cavalos, e decidiu destruir tudo, arrasar todas as suas cidades, pois "era melhor exterminar os chineses e deixar a grama crescer". Não foi um soldado, um general ou um rei quem salvou os chineses da devastação, mas um homem chamado Yelu Ch'u-Ts'ai. Ele mesmo um estrangeiro, Ch'u-Ts'ai aprendera a valorizar a superioridade da cultura chinesa. Conseguiu se fazer conselheiro de confiança de Genghis Khan e o convenceu de que conseguiria colher muitas riquezas naquele lugar se, em vez de destruí-lo, simplesmente obrigasse todos os que viviam ali a lhe pagar impostos. Khan viu sabedoria nisso e seguiu o conselho de Ch'u-Ts'ai.

Quando Genghis Khan tomou a cidade de Kaifeng, depois de um demorado cerco, e decidiu massacrar seus habitantes (como tinha feito com outras cidades que haviam resistido), Ch'u-Ts'ai lhe disse que os melhores artesãos e engenheiros da China tinham fugido para Kaifeng e que seria melhor aproveitá-los. Kaifeng foi poupada. Nunca antes Genghis Khan

mel. Provando o favo, jogou fora o machado e, olhando a árvore como sendo sagrada, cuidou muito bem dela. Só o egoísmo comove alguns homens.
FÁBULAS, ESOPO, SÉCULO VI a.C.

tinha se mostrado tão clemente, mas não foi realmente a clemência o que salvou Kaifeng. Ch'u-Ts'ai conhecia bem Genghis Khan. Ele era um camponês bárbaro, que não ligava para cultura, ou na verdade para nada que não fosse guerra e resultados práticos. Ch'u-Ts'ai apelou para o único sentimento que funcionava com um homem desse tipo: a ganância.
O egoísmo é a alavanca que move as pessoas. Se conseguir que elas vejam que você pode, de alguma forma, satisfazer as suas necessidades ou favorecer a sua causa, a resistência aos seus pedidos de ajuda desaparece como que por um passe de mágica. A cada etapa no caminho da conquista do poder você deve procurar sempre ver o que passa pela cabeça da outra pessoa, quais são as necessidades e interesses dela, para afastar a cortina dos seus próprios sentimentos que obscurecem a verdade. Domine esta arte e não haverá limites para você.

Imagem: A Corda que Une. A corda da misericórdia e da gratidão está puída e se romperá ao primeiro choque. Não jogue esta corda salva-vidas. A corda do egoísmo mútuo é tecida com muitas fibras e não se parte facilmente. Vai lhe servir por muitos anos.

Autoridade: A maneira mais rápida e eficaz de fazer fortuna é deixar as pessoas verem claramente que é do interesse delas promover o seu (Jean de La Bruyère, 1645-1696).

Os homens na sua maioria são tão subjetivos que nada realmente os interessa, a não ser eles mesmos. Pensam sempre no seu próprio caso, assim que é feita uma observação, e toda a sua atenção é monopolizada e absorvida à menor referência casual a qualquer coisa que os afete pessoalmente, por mais remota que seja.

ARTHUR SCHOPENHAUER, 1788-1860

LEI
14

BANQUE O AMIGO, AJA COMO ESPIÃO

JULGAMENTO

Conhecer o seu rival é importantíssimo. Use espiões para colher informações preciosas que o colocarão um passo à frente. Melhor ainda: represente você mesmo o papel de espião. Em encontros sociais, aprenda a sondar. Faça perguntas indiretas para conseguir que as pessoas revelem seus pontos fracos e intenções. Todas as ocasiões são oportunidades para uma ardilosa espionagem.

AS 48 LEIS DO PODER

AS CHAVES DO PODER

Na esfera do poder, o seu objetivo é um certo grau de controle sobre acontecimentos futuros. Parte do seu problema, portanto, é que as pessoas não lhe dirão tudo que pensam, sentem e planejam. Controlando o que dizem, elas quase sempre mantêm ocultas as partes mais críticas da sua personalidade – suas fraquezas, seus motivos secretos, suas obsessões. O resultado é que não se pode prever seus movimentos e fica-se constantemente no escuro. O truque é achar um meio de sondá-las, descobrir seus segredos e intenções ocultas, sem deixar que saibam o que você está pretendendo fazer.

Não é assim tão difícil como você pensa. Uma fachada cordial permitirá que você colha informações sigilosas de amigos e inimigos igualmente. Deixe que os outros consultem o horóscopo ou as cartas do tarô: você tem meios mais concretos de ver o futuro.

A maneira mais comum de espionar é usando outras pessoas, como fez Duveen. O método é simples, eficaz, mas arriscado: você certamente obtém informações, mas tem pouco controle sobre as pessoas que estão fazendo o trabalho. Talvez por inépcia elas revelem a sua espionagem, ou até secretamente se voltem contra você. É muito

Se você tem motivos para desconfiar de que uma pessoa está lhe mentindo, finja acreditar em tudo que ela diz. Isto lhe dará coragem para continuar; ela ficará cada vez mais veemente em suas afirmativas e, no final, acabará se traindo. Por outro lado, se você perceber que uma pessoa está tentando lhe esconder alguma coisa, mas com êxito apenas parcial, finja que não acredita. A sua oposição a fará revelar o restante da verdade, no esforço de vencer a sua incredulidade.
ARTHUR
SCHOPENHAUER,
1788-1860

> *Governantes enxergam através de espiões, assim como as vacas pelo cheiro, os brâmanes nas escrituras e o resto do povo com seus olhos normais.*
>
> KAUTILYA, FILÓSOFO INDIANO, SÉCULO III a.C.

melhor ser você mesmo o espião, posar de amigo enquanto sigilosamente colhe informações.

O político francês Talleyrand foi um dos maiores praticantes desta arte. Ele possuía uma habilidade incrível de extrair segredos dos outros em conversas polidas. Durante toda a sua vida, as pessoas diziam que Talleyrand era um esplêndido conversador – mas, na verdade, ele dizia muito pouco. Jamais falava sobre as suas próprias ideias, fazia os outros revelarem as deles. Ele deixava escapar o que parecia ser um segredo (na realidade algo que ele havia inventado) e ficava observando as reações dos ouvintes.

Nas reuniões sociais e encontros inocentes, preste atenção. É quando as pessoas baixam a guarda. Abafando a sua própria personalidade, você pode fazê-las revelar coisas. A vantagem da manobra é que elas confundirão o seu interesse com amizade, e você não só fica sabendo das coisas como conquista aliados.

Não obstante, você deve praticar esta tática com prudência. Se as pessoas começarem a desconfiar de que você está extraindo delas segredos sob o disfarce de uma conversa, elas o evitarão terminantemente. Dê ênfase ao bate-papo amigo, não às informações preciosas. Sua busca de preciosidades não pode ser óbvia demais ou suas sondagens revelarão mais sobre você mesmo e as suas intenções do que sobre o que quer saber. Um truque para tentar a espionagem nos é dado por La Rochefoucauld, que escreveu: "Encontra-se a sinceridade em pouquíssimos homens, e com frequência ela é a mais esperta das artimanhas – se é sincero para atrair a confiança e obter os segredos do outro." Fingindo abrir o seu coração, você, em outras palavras, faz com que a outra pessoa se incline a revelar os seus próprios segredos. Faça-lhe uma confissão falsa e ela lhe fará uma verdadeira. Outro truque foi identificado pelo filósofo Arthur Schopenhauer, que sugeria veementemente contradizer a pessoa com quem você está conversando para irritá-la, até ela perder o controle do que está dizendo. Reagindo com a emoção, ela revelará toda a verdade sobre si mesma, verdade que você depois poderá usar contra ela.

Imagem: O Terceiro Olho do Espião. Onde todos têm dois olhos, o terceiro olho lhe dará a onisciência divina. Você enxergará mais e melhor dentro deles. Ninguém está livre do olho, só você.

Autoridade: Ora, o que faz um soberano brilhante e um sábio general conquistarem sempre o inimigo, e suas realizações superarem as dos homens comuns, é a presciência da situação do inimigo. Essa "presciência" não vem dos espíritos, nem dos deuses, nem de uma analogia com acontecimentos passados, nem de cálculos astrológicos. Deve ser obtida de homens que conhecem a situação do inimigo – dos espiões (Sun-Tzu, *A arte da guerra*, século IV a.C.).

LEI

15

ANIQUILE TOTALMENTE O INIMIGO

JULGAMENTO
Todos os grandes líderes, desde Moisés, sabem que o inimigo perigoso deve ser esmagado totalmente. (Às vezes, eles aprendem isso da maneira mais difícil.) Se restar uma só brasa, por menor que seja, acabará se transformando numa fogueira. Perde-se mais fazendo concessões do que pela total aniquilação: o inimigo se recuperará e quererá vingança. Esmague-o, física e espiritualmente.

Os vestígios de um inimigo podem se tornar ativos como os de uma doença ou fogueira. Devem, portanto, ser extintos totalmente... Não se deve jamais ignorar um inimigo, achando que ele é fraco. Ele se tornará perigoso no devido tempo, como uma faísca num monte de feno.

KAUTILYA,
FILÓSOFO INDIANO,
SÉCULO III a.C.

AS CHAVES DO PODER

Na luta pelo poder, você vai provocar rivalidades e criar inimigos. Haverá pessoas que você não pode conquistar, que serão sempre suas inimigas, apesar de tudo. Esses inimigos querem o seu mal. Não há nada que eles desejem mais do que acabar com você. Se, na sua luta com eles, você para na metade, ou mesmo em três quartos do caminho, por piedade ou esperança de reconciliação, isso só os fará mais determinados, mais amargurados e um dia eles se vingarão. Podem se mostrar amigos por uns tempos, mas só porque você os derrotou. Eles não têm outra opção a não ser esperar pelo momento certo.

A solução: não ter misericórdia. Esmagá-los totalmente, como eles o esmagariam. A única paz e segurança que você pode esperar dos seus inimigos é quando eles desaparecem.

Mao Tsé-tung, dedicado leitor de Sun-Tzu e da história da China em geral, conhecia a importância desta Lei. Em 1934, o líder comunista e uns 75 mil soldados mal equipados fugiram para as montanhas desoladas do Oeste da China para escapar do exército muito maior de Chiang Kai-shek, fuga que ficou conhecida como a Longa Marcha.

Chiang estava decidido a eliminar até o último comunista e poucos anos depois restavam a Mao menos de dez mil soldados. Em 1937, de fato, quando o Japão invadiu a China, Chiang calculou que os comunistas não representavam mais uma ameaça. Ele preferiu desistir da caçada e se concentrar nos japoneses. Dez anos depois, os comunistas tinham se recuperado o bastante para dispersar o exército de Chiang. Ele havia esquecido o antigo princípio que diz para esmagar o inimigo; Mao, não. Chiang foi perseguido até que ele e todo o seu exército fugiram para a ilha de Taiwan. Nada restou do seu regime no continente chinês até hoje.

A vitória total como meta é um dos axiomas da guerra moderna e foi codificada como tal por Carl von Clausewitz, o ministro-filósofo da guerra. Analisando as campanhas de Napoleão, Von Clausewitz escreveu: "Nós sustentamos que a aniquilação total das forças inimigas deva sempre ser a *ideia predominante*. (...) Uma vez obtida uma grande vitória não se pode falar em descansar, em respirar (...) mas apenas de perseguir, de ir atrás do inimigo novamente, conquistar a sua capital, atacar suas reservas e tudo mais que possa dar ao seu país ajuda e conforto." Isso porque depois da guerra vêm as negociações e a divisão de território. Se você teve apenas uma vitória parcial, vai inevitavel-

Para obter a vitória definitiva é preciso ser cruel.

NAPOLEÃO
BONAPARTE,
1769-1821

mente perder nas negociações o que lucrou com a guerra.

A solução é simples: não dê opção aos seus inimigos. Aniquile-os e você é quem vai trinchar o território deles. O objetivo do poder é controlar seus inimigos totalmente, fazê-los sujeitar-se ao que você deseja. Você não pode se dar ao luxo de fazer concessões. Sem outra opção, eles serão forçados a fazer o que você manda. Esta lei não se aplica apenas ao campo de batalha. Negociações são como uma víbora insidiosa que corrói a sua vitória, portanto não negocie nada com o inimigo, não lhe dê nenhuma esperança, nenhum espaço de manobra. Eles estão esmagados e ponto final.

Seja realista: se você não for implacável com seus inimigos, jamais estará seguro. E se você não estiver em posição de dispensá-los ou tirá-los da sua frente, pelo menos saiba que eles estão tramando contra você, não dê atenção a qualquer gesto de amizade que eles aparentem sentir. A sua única arma nessa situação é a sua própria vigilância.

Imagem: Uma Víbora esmagada sob seu pé, mas ainda viva, vai se erguer e morder você com uma dose dupla de veneno. Um inimigo por perto é como uma víbora semimorta a quem você ajuda a recuperar a saúde. O tempo fortalece o veneno.

Autoridade: Pois é preciso notar que os homens devem ser afagados ou então aniquilados; eles se vingarão de pequenas ofensas, mas não poderão fazer o mesmo nas grandes ofensas. Quando ofendemos um homem, portanto, devemos fazê-lo de modo a não ter de temer a sua vingança (Nicolau Maquiavel, 1469-1527).

LEI 16

USE A AUSÊNCIA PARA AUMENTAR O RESPEITO E A HONRA

JULGAMENTO
Circulação em excesso faz os preços caírem: quanto mais você é visto e escutado, mais comum vai parecer. Se você já se estabeleceu em um grupo, afastando-se temporariamente se tornará uma figura mais comentada, até mais admirada. Você deve saber quando se afastar. Crie valor com a escassez.

AS CHAVES DO PODER

Tudo no mundo depende de ausência e presença. Uma forte presença atrai o poder e as atenções para você – você brilha mais do que as pessoas ao seu redor. Mas tem um ponto, inevitavelmente, em que a presença em demasia cria o efeito contrário: quanto mais você é visto e ouvido, mais o seu valor diminui. Você se torna um hábito. Não importa o quanto você tente ser diferente, sutil, sem saber por que as pessoas começam a respeitá-lo cada vez menos. É preciso aprender a se retirar no momento certo, antes que elas inconscientemente o forcem a isso. É um jogo de pique-esconde.

A verdade dessa lei pode ser comprovada facilmente quando se trata de amor e sedução. No início, a ausência da pessoa amada estimula a sua imaginação, envolvendo a ele ou a ela numa espécie de aura. Mas esta aura desaparece quando você sabe demais – quando a sua imaginação não tem mais espaço para divagar. O ser amado se torna uma pessoa como outra qualquer, alguém cuja presença não desperta mais tanto interesse.

Para que isso não aconteça, você tem de deixar que o outro anseie pela sua presença. Imponha respeito ameaçando-o com a possibilidade de perdê-lo para sempre.

O CAMELO E AS VARETAS FLUTUANTES

O primeiro homem que viu um camelo fugiu; o segundo se aventurou a chegar perto; o terceiro ousou passar um laço pelo seu pescoço. Nesta vida, a familiaridade domestica tudo, pois o que pode parecer terrível ou bizarro, quando nosso olhar tem tempo para se acostumar, torna-se comum. E, por falar nisso, ouvi dizer que umas sentinelas que vigiavam a praia vislumbraram ao longe algo flutuando, não resistiram e gritaram: "Uma vela! Uma vela! Um poderoso navio de guerra!" Cinco minutos depois era um barco à vela, depois um esquife, em seguida um fardo e, finalmente, algumas varetas flutuando. Sei de muita gente a quem esta história se aplica – gente a quem a distância amplia, mas que de perto não vale nada.

FÁBULAS SELECIONADAS, JEAN DE LA FONTAINE, 1621-1695

Napoleão estava reconhecendo a lei da ausência e presença quando disse: "Se me virem com frequência no teatro, o povo vai deixar de me notar." Hoje, num mundo imerso em presenças pelo excesso de imagens, o jogo do retraimento é ainda mais eficaz. Raramente sabemos quando nos retirar, e nada parece acontecer na privacidade, portanto nos espanta alguém conseguir desaparecer por livre vontade. Sabendo quando desaparecer, romancistas como J. D. Salinger e Thomas Pynchon criaram um séquito de fiéis devotos.

Outro aspecto mais corriqueiro desta lei, mas que demonstra ainda melhor a sua verdade, é a lei da escassez na economia. Retirando um produto do mercado, você cria instantaneamente um valor. Na Holanda do século XVII, as classes mais altas queriam fazer da tulipa mais do que simplesmente uma linda flor – queriam que ela fosse uma espécie de símbolo de status. Tornando-a escassa no mercado, quase impossível de ser obtida, eles induziram ao que mais tarde se chamou de tulipomania. Uma única flor passou a valer mais do que o seu peso em ouro.

Ajuste a lei da escassez às suas próprias habilidades. Torne raro e difícil de encontrar aquilo que você oferece ao mundo e estará na mesma hora aumentando o seu valor.

Sempre chega a hora em que aqueles que estão no poder abusam da nossa hospitalidade. Ficamos cansados deles, perdemos o respeito; passamos a vê-los como iguais ao resto da humanidade, o que significa dizer que os vemos como piores, pois inevitavelmente comparamos o que vemos agora com o que víamos antes. É uma arte saber quando se retirar. Praticando-a corretamente, recupera-se o respeito perdido e se conserva uma parte do seu poder.

Torne-se disponível demais e a aura de poder que você construiu à sua volta desaparecerá. Vire o jogo: torne-se menos acessível e aumentará o valor da sua presença.

> Imagem: O Sol. Só o valorizamos quando ausente. Quanto mais longo o período de chuvas, mais se deseja o sol. Com dias de calor em demasia, o sol cansa. Aprenda a se manter apagado e a fazer com que as pessoas exijam a sua volta.

> Autoridade: Use a ausência para criar respeito e estima. Se a presença diminui a fama, a ausência a faz crescer. O homem que quan-

do ausente é considerado um leão torna-se, quando presente, comum e ridículo. Os talentos perdem o brilho quando nos acostumamos a eles, pois o revestimento exterior da mente é visto com mais facilidade do que o seu núcleo interior mais rico. Até mesmo o grande gênio se retrai para que os homens o respeitem e para que o desejo despertado por sua ausência o faça estimado (Baltasar Gracián, 1601-1658).

LEI

17

MANTENHA OS OUTROS EM UM ESTADO LATENTE DE TERROR: CULTIVE UMA ATMOSFERA DE IMPREVISIBILIDADE

JULGAMENTO

Os homens são criaturas de hábitos com uma necessidade insaciável de ver familiaridade nos atos alheios. A sua previsibilidade lhes dá um senso de controle. Vire a mesa: seja deliberadamente imprevisível. O comportamento que parece incoerente ou absurdo os manterá desorientados e eles vão ficar exaustos tentando explicar seus movimentos. Levada ao extremo, esta estratégia pode intimidar e aterrorizar.

> A vida na corte
> é um jogo de
> xadrez sério e
> melancólico, que
> requer que
> coloquemos em
> formação as
> nossas peças
> e baterias,
> armemos um
> plano, corramos
> atrás dele e nos
> defendamos
> de nossos
> adversários.
> Mas às vezes é
> melhor arriscar
> e fazer o
> movimento mais
> caprichoso e
> imprevisível.
>
> JEAN DE LA
> BRUYÈRE,
> 1645-1696

AS CHAVES DO PODER

Nada é mais aterrorizante do que o repentino e imprevisível. Por isso tememos tanto os terremotos e tornados: não sabemos quando eles vão acontecer. Depois do primeiro, esperamos aterrorizados o segundo. Em grau menor, é assim que o comportamento humano imprevisível atua sobre nós.

Os animais têm um padrão fixo de comportamento, por isso é possível caçá-los e matá-los. Só o homem tem a capacidade de alterar conscientemente o seu comportamento, de improvisar e se livrar do peso da rotina e do hábito. Mas a maioria dos homens não percebe esse poder. Eles preferem o conforto da rotina, da natureza animal que os faz repetir sempre as mesmas ações compulsivamente várias vezes. Agem assim pela lei do menor esforço e porque se enganam achando que se não perturbarem ninguém, ninguém os perturbará. Compreenda: a pessoa com poder infunde um certo medo ao perturbar *deliberadamente* as pessoas à sua volta mantendo a iniciativa do seu lado. Às vezes você precisa atacar de repente, deixar os outros tremendo quando menos esperam por isso. É um artifício usado pelos poderosos há séculos.

Filippo Maria, o último dos duques Visconti de Milão, na Itália do século XV, fazia conscientemente o contrário do que se esperava dele. Por exemplo, às vezes ele enchia de atenções um cortesão, e aí, quando o homem já estava começando a achar que ia ser promovido, de um momento para outro ele passava a tratá-lo com o maior desprezo. Confuso, o homem deixava a corte, mas o duque de repente se lembrava dele e voltava a tratá-lo bem. Duplamente confuso, o cortesão ficava imaginando se o duque não teria achado óbvia e ofensiva demais a sua suposição de que seria promovido, e começava a se comportar como se não esperasse mais tal honra. O duque o repreenderia por falta de ambição e o mandaria embora.

O segredo para se lidar com Filippo era simples: não pretender saber o que ele quer. Não tentar adivinhar o que lhe agrada. Nunca forçar a *sua* vontade, simplesmente ceder à vontade *dele*. Depois esperar para ver o que acontece. No meio da confusão e da incerteza gerada por ele, o duque governava supremo, incontestável e em paz.

Os outros estão sempre tentando entender o motivo das suas ações e usar a sua previsibilidade contra você. Faça um movimento totalmente imprevisível e os colocará na defensiva. Sem entender nada, eles ficam aflitos e, nesse estado, é fácil intimidá-los.

Sempre confunda, engane e surpreenda o inimigo, se possível... essas táticas vencem sempre e um pequeno exército pode assim destruir outro maior.

GENERAL
STONEWALL
JACKSON,
1824-1863

Por uns tempos Pablo Picasso trabalhou com o marchand Paul Rosenberg, até que um dia, sem nenhuma razão aparente, ele disse ao sujeito que não ia mais lhe dar nenhuma obra para vender. Segundo Picasso explicou: "Rosenberg passaria as próximas 48 horas tentando imaginar por quê. Eu estaria reservando coisas para outro marchand? Eu continuei trabalhando e dormindo, e Rosenberg perdendo tempo pensando. Dois dias depois ele voltou, irritado, ansioso, dizendo: 'Afinal de contas, meu amigo, você não vai me abandonar se eu lhe oferecer tanto (citando uma cifra substancialmente alta) por esses quadros, em vez do preço que estou acostumado a lhe pagar, vai?'"

A imprevisibilidade não é apenas um instrumento de terror: embaralhando os seus padrões diariamente, você agita as coisas e estimula o interesse. As pessoas falarão de você, atribuirão motivos e darão explicações que nada têm a ver com a verdade, mas estarão sempre pensando em você. No final, quanto mais caprichoso você parecer, mais respeito conquistará. Só os extremamente subordinados agem de maneira previsível.

Imagem: O Ciclone. Não se pode prever uma ventania. Mudanças repentinas no barômetro, alterações inexplicáveis na direção e velocidade. Não há defesa: um ciclone semeia terror e confusão.

Autoridade: O governante esclarecido é tão misterioso que parece não ter morada, é tão inexplicável que não se sabe onde buscá-lo. Ele repousa na inação lá em cima, e seus ministros tremem aqui embaixo (Han-Fei-Tzu, filósofo chinês, século III a.C.).

LEI 18

NÃO CONSTRUA FORTALEZAS PARA SE PROTEGER – O ISOLAMENTO É PERIGOSO

JULGAMENTO

O mundo é perigoso e os inimigos estão por toda parte – todos precisam se proteger. Uma fortaleza parece muito segura. Mas o isolamento expõe você a mais perigos do que o protege deles – você fica isolado de informações valiosas, transforma-se num alvo fácil e evidente. Melhor circular entre as pessoas, descobrir aliados, se misturar. A multidão serve de escudo contra os seus inimigos.

AS CHAVES DO PODER

Maquiavel argumenta que num sentido estritamente militar a fortaleza é sempre um erro. Ela se torna símbolo do isolamento do poder e é um alvo fácil para os inimigos do seu construtor. Projetada para defender você, a fortaleza na verdade o isola de qualquer tipo de ajuda e tolhe a sua flexibilidade. Ela pode parecer inexpugnável, mas depois que se enfiou lá dentro todos sabem onde você está; e não é preciso ter êxito num cerco para transformar a sua fortaleza numa prisão. Com seus espaços pequenos e confinados, as fortalezas são extremamente vulneráveis à peste e a doenças contagiosas. Do ponto de vista estratégico, o isolamento de uma fortaleza não oferece proteção e cria mais problemas do que soluções.

Como os seres humanos são criaturas sociais por natureza, o poder depende da interação social e da circulação. Para se tornar poderoso, você deve se colocar no centro das coisas, como fez Luís XIV em Versalhes. Toda atividade deve girar em torno de você, e precisa estar atento a tudo que acontece na rua, a qualquer pessoa que possa estar armando planos contra você. Para a maioria das pessoas, o perigo surge quando elas se sentem ameaçadas. Nessas ocasiões elas tendem a se retrair e cerrar

O isolamento é perigoso para a razão, sem ser favorável à virtude. Lembre-se de que o mortal solitário é com certeza lascivo, com toda a probabilidade supersticioso e possivelmente louco.

DR. SAMUEL JOHNSON, 1709-1784

O rei [Luís XIV] não só cuidava que toda a alta nobreza estivesse presente na sua corte, como exigia o mesmo da pequena nobreza. No seu lever e coucher, nas suas refeições, nos seus jardins de Versalhes, ele sempre olhava ao redor, observando tudo. Ficava ofendido se os nobres mais distintos não vivessem permanentemente na corte, e aqueles que raramente, ou nunca, apareciam incorriam no seu pleno desagrado. Se um desses desejasse alguma coisa, o rei dizia, orgulhoso: "Não o conheço", e o julgamento era irrevogável.

DUQUE DE SAINT
SIMON,
1675-1755

fileiras, buscar a segurança em algum tipo de fortaleza. Ao fazer isso, entretanto, elas passam a depender das informações de um círculo cada vez menor e perdem a perspectiva do que ocorre ao redor. Elas perdem a capacidade de manobra, se tornam alvos fáceis e o isolamento as torna paranoicas. Como na guerra e na maioria dos jogos estratégicos, o isolamento quase sempre precede a derrota e a morte.

Nos momentos de incerteza e perigo, você precisa lutar contra este desejo de se voltar para dentro. Em vez disso, torne-se mais acessível, busque antigos e novos aliados, force a sua entrada em círculos mais numerosos e diferentes. Este tem sido o truque das pessoas poderosas por séculos.

O estadista romano Cícero era da nobreza inferior e tinha poucas chances de poder, a não ser que conseguisse abrir espaço entre os aristocratas que controlavam a cidade. Ele fez isso com brilhantismo, identificando todas as pessoas influentes e descobrindo as conexões entre elas. Ele se misturava por toda parte, conhecia todo mundo e tinha uma rede de conexões tão vasta que um inimigo aqui poderia facilmente ser contrabalançado por um aliado ali.

Como os seres humanos são criaturas muito sociais, segue-se daí que as artes sociais que nos tornam companhias agradáveis só podem ser praticadas pela constante exposição e circulação. Quanto mais você está em contato com os outros, mais gracioso e à vontade se torna. O isolamento, por sua vez, gera uma estranheza nos seus gestos que leva a um isolamento ainda maior quando as pessoas passam a evitar você.

Em vez de ceder à mentalidade da fortaleza, veja o mundo da seguinte maneira: ele é um imenso Versalhes, cada quarto se comunicando com o outro. Você precisa ser permeável, capaz de entrar e sair de círculos diferentes e misturar-se com diferentes tipos de pessoas. É essa mobilidade e contato social que o protegerão de conspiradores, que não conseguirão esconder de você os seus segredos, e de inimigos, que não conseguirão isolá-lo dos seus aliados. Sempre mudando, você se mistura nos quartos do palácio, sem se sentar ou descansar num único lugar. Não há caçador capaz de acertar a mira sobre uma criatura tão ligeira.

Imagem: A Fortaleza. No alto da colina, a cidadela se torna símbolo de tudo que é detestável no poder e na autoridade. Os cidadãos a trairão com o primeiro inimigo que aparecer. Incomunicável e sem informações secretas, a cidadela cai facilmente.

Autoridade: Um príncipe bom e sábio, desejoso de manter esse caráter e impedir que seus filhos tenham oportunidade de se tornar tirânicos, não construirá fortalezas para que eles possam confiar na boa vontade de seus súditos e não na força de cidadelas (Nicolau Maquiavel, 1469-1527).

LEI 19

SAIBA COM QUEM ESTÁ LIDANDO – NÃO OFENDA A PESSOA ERRADA

JULGAMENTO

No mundo há muitos tipos diferentes de pessoas e você não pode esperar que todas reajam da mesma forma às suas estratégias. Engane ou passe a perna em certas pessoas e elas vão passar o resto da vida procurando se vingar de você. São lobos em pele de cordeiro. Cuidado ao escolher suas vítimas e adversários, portanto – jamais ofenda ou engane a pessoa errada.

ROBERT GREENE

Quando encontrar um espadachim, saque da espada: não recite poemas para quem não é poeta.

DE UM CLÁSSICO BUDISTA CH'AN, CITADO EM THUNDER IN THE SKY, TRADUZIDO PARA O INGLÊS POR THOMAS CLEARY, 1993

ADVERSÁRIOS, OTÁRIOS E VÍTIMAS: Tipologia Preliminar
Na sua ascensão ao poder você pode cruzar com vários tipos de adversários, otários e vítimas. A arte do poder na sua forma mais refinada está em saber distinguir lobos de cordeiros, raposas de lebres, gaviões de abutres. Se você fizer bem essa distinção, conseguirá o que quer sem precisar coagir ninguém. Mas se lidar às cegas com quem quer que cruzar o seu caminho, viverá em constante pesar, se chegar a viver tanto assim. Ser capaz de reconhecer os tipos de pessoas, e agir de acordo, é importantíssimo. Os tipos a seguir são os cinco mais perigosos e difíceis da selva, conforme identificados por artistas – vigaristas ou não – do passado.

O Homem Arrogante e Orgulhoso. Embora ele possa inicialmente disfarçar isso, a suscetibilidade orgulhosa deste homem o torna muito perigoso. Ao mais leve sinal ele quer se vingar de uma forma extremamente violenta. Você pode dizer: "Mas eu só falei isso-e-aquilo numa festa, onde estavam todos bêbados..." Não importa. Não há sanidade na sua reação exagerada, portanto não perca tempo tentando entendê-lo. Se em algum momento, ao lidar com uma pessoa, você perceber um orgulho exageradamente sensível e ativo, fuja. Seja lá o que você estiver esperando dela, não vale a pena.

O Homem Irremediavelmente Inseguro. Este homem está relacionado com o tipo orgulhoso e arrogante, mas é menos violento e mais difícil de identificar. Seu ego é frágil, sua noção de identidade, insegura, e se ele se sentir enganado ou atacado, a mágoa fica contida. Ele irá mordê-lo aos poucos, e vai levar um tempão para essa mordida aumentar e você perceber o que está acontecendo. Se você descobrir que enganou ou magoou um homem desses, suma por um bom tempo. Não fique perto dele ou ele irá mordiscá-lo até você morrer.

O Desconfiado. Outra variante dos tipos acima é um futuro Stalin. Ele vê o que ele quer ver – em geral, o pior – nas outras pessoas e imagina que todos estão atrás dele. O Desconfiado é de fato o menos perigoso dos três: genuinamente desequilibrado, ele é fácil de enganar, assim como o próprio Stalin era constantemente iludido. Jogue com a sua natureza desconfiada para fazê-lo se voltar contra as outras pessoas. Mas, se você se tornar o alvo das suas desconfianças, cuidado.

O CORVO E A OVELHA

Um impertinente corvo aboletou-se nas costas de uma ovelha. A ovelha, muito a contragosto, o carregou para cima e para baixo durante um bom tempo, mas acabou dizendo: "Se você tratasse um cachorro assim, já teria recebido dos seus dentes afiados o que merece." Ao que o corvo respondeu: "Desprezo o fraco e obedeço ao forte. Sei a quem posso intimidar, a quem devo adular, e assim espero viver até ficar bem velho."

FÁBULAS,
ESOPO, SÉCULO VI
a.C.

A Serpente de Longa Memória. Se magoado ou enganado, este homem não demonstrará superficialmente a sua raiva, ele vai calcular e aguardar. Depois, quando estiver em posição de virar a mesa, irá reclamar uma vingança marcada por uma fria sagacidade. Reconheça este homem por sua cautela e astúcia em diferentes áreas da sua vida. Ele costuma ser frio e insensível. Redobre a sua atenção com esta serpente e, se você de alguma forma a feriu, esmague-a totalmente ou tire-a da sua frente.

O Homem Simples, Despretensioso, com Frequência Pouco Inteligente. Ah, suas orelhas coçam quando você encontra uma vítima tão tentadora. Mas este homem é muito mais difícil de enganar do que você imagina. Cair num engodo em geral exige inteligência e imaginação – uma ideia da possibilidade de lucrar alguma coisa com isso. O homem bronco não morde a isca porque não a reconhece. Ele é distraído a esse ponto. O perigo não é que este homem vá magoá-lo ou querer se vingar, mas tentar enganá-lo é simplesmente perda de tempo, energia e recursos, e até da sua sanidade mental. Tenha à mão um teste para o otário – uma piada, uma história. Se a reação dele for totalmente literal, este é o tipo com o qual está lidando. Se quiser continuar, o risco é por sua conta.

Imagem: O Caçador. Ele não monta para a raposa a mesma armadilha que usa para pegar o lobo. Ele não coloca a isca onde ninguém vai morder. Ele conhece bem a sua presa, seus hábitos e esconderijos e caça de acordo com esse conhecimento.

Autoridade: Creia, não há pessoas tão insignificantes e desprezíveis, e elas podem, qualquer dia desses, ser úteis a você, mas elas certamente não serão, se você já as tratou com desprezo. Injustiças se esquecem, desprezo, jamais. Nosso orgulho guarda essa lembrança para sempre (Lord Chesterfield, 1694-1773).

LEI 20

NÃO SE COMPROMETA COM NINGUÉM

JULGAMENTO
Tolo é quem se apressa a tomar um partido. Não se comprometa com partidos ou causas, só com você mesmo. Mantendo-se independente, você domina os outros – colocando as pessoas umas contra as outras, fazendo com que sigam você.

AS 48 LEIS DO PODER

AS CHAVES DO PODER

Visto que o poder depende tanto das aparências, você precisa aprender alguns truques para realçar a sua imagem. Recusar comprometer-se com alguém ou com um grupo é um deles. Quando você se retrai, não desperta raiva, mas um certo respeito. Você parece instantaneamente poderoso porque se torna inatingível, em vez de se render a um grupo ou a um relacionamento, como faz a maioria das pessoas. Com o tempo, essa aura de poder só faz crescer: conforme aumenta a sua reputação de pessoa independente, mais desejado você será, todos querendo ser aquele que fará você se comprometer. O desejo é como um vírus: se vemos alguém ser desejado por outras pessoas, tendemos a achá-lo desejável também.

Assim que você se compromete, foi-se o encanto. Você se torna igual a todo mundo. As pessoas tentarão todos os métodos escusos possíveis para levar você a um compromisso. Vão lhe dar presentes, encher você de favores, tudo para colocá-lo na situação de devedor. Incentive as atenções, estimule os interesses, mas não se comprometa de forma alguma. Aceite os presentes e favores se assim desejar, mas tenha o cuidado de se manter intimamente distante. Você não pode se permitir, inadvertidamente, sentir-se devedor com relação a ninguém.

O PREÇO DA INVEJA

Uma pobre mulher vendia queijos no mercado quando um gato se aproximou e roubou um. O cão viu o larápio e tentou tirar o queijo dele. O gato enfrentou o cão. E os dois se atracaram. O cão latia e mordia, o gato chiava e arranhava, mas não chegavam a nenhuma decisão. "Vamos pedir à raposa para servir de juiz", o gato finalmente sugeriu. "De acordo", disse o cão. E lá foram os dois procurar a raposa, que ouviu seus argumentos com ar pensativo. "Animais tolos", ela ralhou. "Para que tudo isso? Se quiserem, eu divido o queijo pela metade e os

LEI 20 | *113*

dois ficam satisfeitos." "De acordo", disseram o gato e o cão. Assim, a raposa pegou a sua faca e cortou o queijo em dois, mas, em vez de cortar no sentido do comprimento, cortou-o na largura. "A minha metade é menor!", protestou o cão. A raposa avaliou, ponderada, o pedaço do cão, através das lentes dos seus óculos. "Tem razão, é isso mesmo!", concluiu. E deu uma mordida na parte do gato. "Assim ficam iguais!", disse ela. Quando o gato viu o que a raposa tinha feito começou a miar: "Olha só! A minha parte agora ficou menor!" A raposa colocou

Mas lembre-se: o objetivo não é livrar-se das pessoas ou fazer com que elas achem que você é incapaz de um compromisso. Como a Rainha Virgem, você tem que agitar as coisas, estimular o interesse, atrair as pessoas com a possibilidade de ficar com você. Você tem de se dobrar às suas atenções ocasionalmente, portanto – mas não demais.

O general e estadista grego Alcibíades era mestre neste jogo. Foi ele quem inspirou e liderou a forte armada ateniense que invadiu a Sicília em 414 a.C. Quando, em casa, os invejosos atenienses tentaram derrubá-lo com acusações falsas, ele passou para o lado do inimigo, os espartanos, para não ter de enfrentar um julgamento na sua própria cidade. Depois, quando os atenienses foram derrotados em Siracusa, ele trocou Esparta pela Pérsia, apesar de o poder de Esparta estar em ascensão. Mas agora tanto os atenienses quanto os espartanos cortejavam Alcibíades por sua influência com os persas; e os persas o enchiam de homenagens devido ao seu poder sobre os atenienses e espartanos. Ele distribuía promessas para todos os lados, mas não se comprometia com nenhum, e no final quem dava as cartas era ele.

Se você quer ter poder e influência, experimente a tática de Alcibíades: coloque-se no meio de duas forças concorrentes.

Atraia um dos lados prometendo ajuda; o outro, sempre querendo superar o inimigo, seguirá você também. Enquanto os dois disputam a sua atenção, você se torna logo uma pessoa que parece muito desejada e de grande influência. Você terá mais poder assim do que se comprometendo precipitadamente com um dos lados.

Na revolução francesa de julho de 1830, depois de três dias de tumulto, o estadista Talleyrand, agora um homem idoso, sentou-se à sua janela em Paris ouvindo o repicar dos sinos que anunciavam o fim dos distúrbios. Virando-se para um assistente, ele disse: "Ah, os sinos! Nós estamos vencendo." "'Nós' quem, *mon prince*?", o assistente perguntou. Fazendo um gesto para o homem se calar, Talleyrand respondeu: "Nem uma palavra! Eu lhe direi quem somos amanhã." Ele sabia muito bem que só os tolos se precipitam numa determinada situação – que se apressando em fazer conchavos você perde a sua capacidade de manobra. Você perde o respeito das pessoas também: quem sabe amanhã, elas pensam, você se compromete com outra causa, diferente, já que aderiu com tanta facilidade a esta. Comprometer-se com um dos lados priva você do luxo e da vantagem de ter tempo para esperar. Deixe que os outros se apaixonem por este ou aquele grupo; quanto a você, não se apresse, não perca a cabeça.

de novo os óculos e avaliou a parte do gato. "Tem razão!", disse a raposa. "Espere só um momento que eu conserto isso." E deu uma mordida no queijo do cão. E assim continuou, a raposa mordendo ora a parte do cão ora a do gato, até que finalmente comeu o queijo inteiro bem diante dos seus olhos.

A TREASURY OF JEWISH FOLKLORE, NATHAN AUSUBEL, ED. 1948

> Imagem:
> Centro de atenções, desejo e adoração. Jamais se rendendo a um ou a outro pretendente, a Rainha Virgem os mantém a todos gravitando ao seu redor como satélites, incapazes de sair da sua órbita, mas jamais se aproximando dela.

Autoridade: Não se comprometa com ninguém nem com coisa alguma, pois isso é ser escravo, escravo de todos os homens... Principalmente, mantenha-se livre de compromissos e obrigações – esses são artifícios do outro para mantê-lo em seu poder...
(Baltasar Gracián, 1601-1658).

LEI 21

FAÇA-SE DE OTÁRIO PARA PEGAR OS OTÁRIOS – PAREÇA MAIS BOBO DO QUE O NORMAL

JULGAMENTO

Ninguém gosta de se sentir mais idiota do que o outro. O truque, portanto, é fazer com que suas vítimas se sintam espertas – e não só espertas, mas mais espertas do que você. Uma vez convencidas disso, elas jamais desconfiarão que você possa ter segundas intenções.

Ora, não há nada de que um homem se orgulhe mais do que da sua capacidade intelectual, pois é ela que o coloca no comando do mundo animal. É muita imprudência deixar que alguém o veja como decididamente superior nesse ponto e deixar que outras pessoas vejam isso também... Por conseguinte, embora a classe social e o dinheiro possam sempre contar com um tratamento privilegiado na sociedade, com isso a capacidade intelectual não pode contar: o maior favor que podem prestar à inteligência é ignorá-la, e se as pessoas a percebem, é porque a

AS CHAVES DO PODER

A sensação de que alguém é mais inteligente do que nós é quase insuportável. Em geral tentamos justificá-la de várias maneiras: "O conhecimento dele é só teoria, enquanto o meu se baseia na realidade." "Os pais dela pagaram para ela estudar. Se meus pais tivessem tido tanto dinheiro assim, se eu tivesse sido privilegiado..." "Ele não é tão inteligente quanto pensa."

Visto que a ideia de inteligência é tão importante para a vaidade da maioria das pessoas, é importante não insultar ou impugnar jamais, inadvertidamente, o poder do cérebro. Esse é um pecado imperdoável. Mas, se você conseguir tirar vantagem desta regra, ela abrirá para você todas as portas para a fraude. Subliminarmente, assegure às pessoas de que elas são mais inteligentes do que você, ou mesmo que é um tanto bronco, e vai conseguir fazer delas o que quiser. A sensação de superioridade intelectual que você lhes dá afrouxará as suas desconfianças.

Em 1865, o conselheiro prussiano Otto von Bismarck queria que a Áustria assinasse um determinado tratado. Esse tratado era totalmente a favor da Prússia e contra os interesses da Áustria e Bismarck teria de lançar mão de estratégias para convencer os austríacos. Mas o negociador aus-

tríaco, conde Blome, era um ávido jogador de cartas. Seu jogo preferido era o quinze, e ele costumava dizer que podia julgar o caráter de um homem pelo seu estilo de jogar. O prussiano mais tarde escreveria: "Foi a última vez que joguei quinze. Fui tão imprudente que todos ficaram atônitos. Perdi vários táleres [a moeda da época], mas consegui enganar [Blome], porque ele achou que eu era mais irresponsável do que sou na verdade e recuou."
Além de parecer afoito, Bismarck também se fez de ignorante e tolo, dizendo coisas absurdas e se pavoneando com um excesso de energia nervosa.
Tudo isso fez Blome achar que ele tinha informações valiosas. Ele sabia que Bismarck era agressivo – o prussiano já tinha essa fama e o modo como jogava confirmava isso. E homens agressivos, Blome sabia, podem ser tolos e imprudentes. Por conseguinte, na hora de assinar o tratado, Blome achou que estava levando vantagem. Um tolo afoito como Bismarck, ele pensou, é incapaz de calcular e enganar a sangue-frio, por isso só olhou o tratado de relance antes de assinar – não leu as letrinhas miúdas. Assim que a tinta secou, Bismarck, alegre, exclamou na sua cara: "Ora, pensei que eu não fosse encontrar um diplomata austríaco disposto a assinar esse documento!"

*consideram uma impertinência ou algo a que o seu possuidor não tem nenhum direito legítimo e do qual ele apenas ousa se orgulhar; e, em retaliação e vingança por sua conduta, as pessoas secretamente tentam humilhá-lo de alguma outra forma; e se demoram para fazer isso é só porque esperam pela ocasião mais adequada. Um homem pode ser o mais humilde possível nesse sentido, e ainda assim dificilmente conseguirá que as pessoas lhe perdoem o pecado de se colocar intelectualmente acima delas.
Em* Garden of Roses, *Sadi observa:*
"Você deveria saber que os tolos são cem vezes mais avessos a se

encontrar com o sábio do que o sábio tem disposição para estar em companhia de tolos." Por outro lado, ser idiota é uma recomendação verdadeira. Pois assim como o calor é agradável ao corpo, também é agradável à mente sentir a sua superioridade; e o homem procura a companhia que vai lhe dar essa sensação tão instintivamente quanto ele se aproxima da lareira ou caminha no sol quando quer se aquecer. Mas isto significa que ele não agradará por sua superioridade; e, se um homem quer agradar, deve ser intelectualmente inferior.

ARTHUR SCHOPENHAUER, 1788-1860

Os chineses têm um ditado: "Vestir a máscara do porco para matar o tigre." É uma referência a uma antiga técnica de caça em que o caçador se cobre com a pele e o focinho de um porco e sai grunhindo. O poderoso tigre pensa que um porco vem chegando, deixa-o se aproximar, saboreando a perspectiva de uma refeição fácil. Mas é o caçador quem ri por último.

Mascarar-se de porco funciona muito bem com quem, como os tigres, é muito arrogante e seguro de si. Quanto mais eles acham que é fácil apanhar você, mais facilmente você vira a mesa.

A inteligência é a qualidade óbvia para ser minimizada, mas por que parar por aí? Gosto e sofisticação estão no mesmo nível da inteligência na escala das vaidades; faça as pessoas se sentirem mais sofisticadas do que você e elas baixarão a guarda. Elas o manterão por perto porque você as faz se sentir melhor, e quanto mais ficar por perto, mais chances terá de enganá-las.

Imagem:
O Gambá. Fingindo-se de morto, o gambá se faz de idiota. Muitos predadores o deixarão em paz por isso. Quem acreditaria que uma criaturinha tão feia, burra e nervosa seria capaz de tamanha fraude?

Autoridade: Saiba usar a burrice; o homem sábio usa esta carta às vezes. Há momentos em que a maior sabedoria é parecer não saber nada – você não precisa ser ignorante, basta ser capaz de fingir que é. Não é muito bom ser sábio entre tolos e lúcido no meio de lunáticos. Quem se faz de tolo não é tolo; a melhor maneira de ser bem recebido por todos é fingindo ser um grande idiota (Baltasar Gracián, 1601-1658).

LEI
22

USE A TÁTICA DA RENDIÇÃO: TRANSFORME A FRAQUEZA EM PODER

JULGAMENTO

Se você é o mais fraco, não lute só por uma questão de honra, é preferível se render. Rendendo-se, você tem tempo para se recuperar, tempo para atormentar e irritar o seu conquistador, tempo para esperar que ele perca o seu poder. Não lhe dê a satisfação de lutar e derrotar você – renda-se antes. Oferecendo a outra face, você o enraivece e desequilibra. Faça da rendição um instrumento de poder.

AS 48 LEIS DO PODER

AS CHAVES DO PODER

O que nos causa problemas na esfera do poder é quase sempre a nossa própria reação exagerada aos movimentos de nossos inimigos e rivais. Esse exagero cria dificuldades que teríamos evitado se fôssemos mais sensatos. Tem também um efeito ricochete interminável, pois o inimigo vai reagir com o mesmo exagero, como os atenienses fizeram com os melianos. O nosso primeiro instinto é sempre o de reagir, enfrentar a agressão com outra agressão. Mas, da próxima vez que alguém lhe der um empurrão e você perceber que está começando a reagir, experimente isto: não resista nem brigue, ceda, dê a outra face, curve-se. Verá que isso quase sempre neutraliza o comportamento deles – eles esperavam, até queriam que você reagisse com energia e foram, portanto, apanhados desprevenidos e a sua não resistência os deixou confusos. Na verdade, ao ceder você passa a controlar a situação, porque isso faz parte de um plano maior para que eles acreditem que o derrotaram.

Esta é a essência da tática da rendição; no íntimo você permanece firme, mas por fora você se inclina. Sem mais motivos para se zangar, seus adversários ficam confusos. É improvável que reajam com mais violência, o que exigiria de você uma reação. Em vez disso, você tem tempo e espa-

Quando o grande senhor passa, o sábio camponês curva-se até o chão e silenciosamente peida.

PROVÉRBIO ETÍOPE

> *Voltaire vivia exilado em Londres numa época em que estava no auge ser contra os franceses. Um dia, caminhando pelas ruas, ele se viu cercado por uma multidão irada. "Enforquem-no, enforquem o francês", gritavam. Voltaire calmamente se dirigiu à turba dizendo o seguinte: "Ingleses! Desejam me matar porque sou francês. Já não fui punido o suficiente por não ter nascido inglês?" A multidão aplaudiu as suas palavras sensatas e o escoltaram de volta aos seus alojamentos.*
>
> THE LITTLE, BROWN BOOK OF ANECDOTES, CLIFTON FADIMAN, ED., 1985

ço para armar um contramovimento para derrubá-los. No confronto entre o inteligente e o bruto agressivo, a tática da rendição é a melhor arma.

Em muitos casos é melhor ceder do que lutar; diante de um adversário mais forte e da derrota certa, muitas vezes é melhor entregar-se do que sair correndo. Fugir pode salvá-lo naquele momento, mas o agressor vai acabar alcançando você. Mas entregando-se, você tem a oportunidade de se enroscar no inimigo e enfiar-lhe as presas bem de perto.

Em 473 a.C., na antiga China, o rei Goujian de Yue sofreu uma terrível derrota nas mãos do governante de Wu, na batalha de Fujiao. Goujian quis fugir, mas um conselheiro lhe disse para se render e se colocar a serviço do governante de Wu, posição que lhe permitiria estudar o sujeito e planejar uma vingança. Decidido a seguir o conselho, Goujian deu ao governante todas as suas riquezas e foi trabalhar nos estábulos do conquistador como o seu criado mais simples. Passou três anos se humilhando diante do governante, que, finalmente, satisfeito com a sua lealdade, permitiu que ele voltasse para casa. Secretamente, entretanto, Goujian naqueles três anos colheu informações e armou uma vingança. Durante uma terrível seca que assolou Wu e o reino se viu enfraquecido por rebeliões internas, ele armou um exército, invadiu e venceu com facilidade. Este é o poder da rendição; você fica com tempo e flexibilidade para armar um contra--ataque devastador. Fugindo, Goujian teria perdido esta chance.

O poder está sempre fluindo – visto que o jogo é por natureza fluido e uma arena de lutas constantes, quem está com o poder quase sempre acaba se encontrando na descida do pêndulo. Se você se vir temporariamente enfraquecido, a tática da rendição é perfeita para levá-lo para cima de novo – ela disfarça a sua ambição, ensina a você a paciência e o autocontrole, habilidades-chave para o jogo, e o coloca na melhor posição possível para tirar vantagem do súbito deslize do seu opressor. Se você foge ou revida, não poderá vencer a longo prazo. Se você se rende, é quase certo sair vitorioso.

Imagem: Um Carvalho. O carvalho que resiste à ventania perde seus galhos um a um e, sem mais nada para protegê-lo, o tronco acaba se partindo. O carvalho que se curva vive mais, seu tronco engrossa, suas raízes ficam mais profundas e tenazes.

Autoridade: Ouvistes o que foi dito: Olho por olho, dente por dente. Eu, porém, vos digo: Não resistais ao perverso; mas a qualquer que vos ferir a face direita, voltai-lhe também a outra; e ao que quer demandar convosco e tirar-vos a túnica, deixai-lhe também a capa. Se alguém vos obrigar a andar uma milha, ide com ele duas (Jesus Cristo, em Mateus, 5:38-41).

LEI

23

CONCENTRE AS SUAS FORÇAS

JULGAMENTO

Preserve suas forças e sua energia concentrando-as no seu ponto mais forte. Ganha-se mais descobrindo uma mina rica e cavando fundo do que pulando de uma mina rasa para outra – a profundidade derrota a superficialidade sempre. Ao procurar fontes de poder para promovê-lo, descubra um patrono-chave, a vaca cheia de leite que o alimentará durante muito tempo.

> A melhor estratégia é sempre ser muito forte; primeiro em geral, depois no momento decisivo... Não há lei de estratégia mais importante e simples do que a de manter as próprias forças concentradas... Em resumo, o primeiro princípio é: agir com a máxima concentração.
>
> SOBRE A GUERRA, CARL VON CLAUSEWITZ, 1780-1831

AS CHAVES DO PODER

O mundo está passando por uma epidemia de divisões cada vez maiores – dentro de países, grupos políticos, famílias, até indivíduos. Estamos todos num estado de total distração e difusão, mal conseguimos colocar nossa cabeça numa direção e já estamos sendo puxados para centenas de outras. O nível de conflito no mundo moderno está mais alto do que nunca e já nos acostumamos com isso.

A solidão é uma forma de nos retirarmos para dentro de nós mesmos, para o passado, para formas mais concentradas de pensamento e ação. Como escreveu Schopenhauer, "O intelecto é uma medida de profundidade, não uma medida de superficialidade". Napoleão conhecia o valor de concentrar suas forças no ponto fraco do inimigo – era o segredo do seu sucesso nos campos de batalha. Mas a sua força de vontade e a sua mente também estavam moldadas segundo esta noção. O propósito único, a total concentração na meta, e o uso destas qualidades contra pessoas menos concentradas, pessoas distraídas – a flecha acertará sempre o alvo e conquistará o inimigo.

Casanova atribuía o seu sucesso na vida à sua capacidade de se concentrar num único objetivo e forçar até ele ceder. Foi a sua capacidade de se entregar total-

AS 48 LEIS DO PODER

mente às mulheres que desejava que o tornava tão sedutor. Durante as semanas ou meses em que uma destas mulheres vivia na sua órbita, ele não pensava em mais ninguém. Quando esteve preso nas traiçoeiras "passagens" do palácio dos doges em Veneza, prisão de onde ninguém jamais escapara, ele só pensava na fuga como seu único objetivo, dia após dia. Uma mudança de cela, que significou meses e meses de escavações inúteis, não o desencorajou; ele persistiu e acabou fugindo. "Sempre acreditei", escreveu ele mais tarde, "que se um homem coloca na cabeça que vai fazer uma coisa, e se ele se ocupa exclusivamente disso, acaba conseguindo, por mais difícil que seja. Esse homem se tornará grão--vizir ou papa."

No mundo do poder, você está sempre precisando da ajuda dos outros, em geral daqueles que têm mais poder do que você. O tolo pula de um para outro, acreditando que sobreviverá se espalhando. Mas um dos corolários da lei de concentração é que se economiza muita energia, e se obtém mais poder, fixando-se a uma única fonte adequada de poder. O cientista Nikola Tesla se arruinou acreditando que conservaria a sua independência se não tivesse de servir a um único senhor. Ele até rejeitou a oferta de J. P. Morgan, que lhe ofereceu um rico contrato. No final, a

Cuidado para não dissipar os seus poderes; lute constantemente para concentrá-los. O gênio pensa que pode fazer tudo que vê os outros fazerem, mas vai se arrepender de tanto desperdício.

JOHANN VON GOETHE, 1749-1832

"independência" de Tesla significava que ele podia não depender de um único patrono, mas estava sempre tendo de adular uma dúzia deles. No final da vida, ele percebeu o seu erro. No fim, o patrono único aprecia a sua lealdade e passa a depender dos seus serviços; com o tempo, o senhor serve ao escravo.
   Finalmente, o poder está sempre concentrado. Em qualquer organização é inevitável que um pequeno grupo controle tudo. E quase sempre não são aqueles com títulos. No jogo do poder, apenas o tolo golpeia aqui e ali sem fixar a sua meta. É preciso descobrir quem controla as operações, quem realmente dirige a cena por trás dos bastidores. Como Richelieu descobriu no início da sua ascensão ao topo do cenário político francês, no início do século XVII, não era o rei Luís XIII que decidia as coisas, era a mãe dele. Portanto, ele se ligou a ela e passou por cima de todos os níveis dos cortesãos, direto para o topo.
   Basta encontrar petróleo uma vez – sua riqueza e poder estão garantidos para o resto da vida.

Imagem: A Flecha. Não se pode acertar dois alvos com uma só flecha. Se a mente divaga, você não acerta o coração do inimigo. Mente e flecha têm de ser uma só. Apenas com muita concentração mental e física a sua flecha acertará o alvo, bem no coração.

Autoridade: Preze a profundidade mais do que a superficialidade. A perfeição está na qualidade, não na quantidade. O superficial não sai da mediocridade, e a desgraça dos homens com interesses amplos e generalizados é que enquanto desejam comandar tudo acabam não comandando nada. A profundidade dá fama e equivale ao heroísmo em questões sublimes (Baltasar Gracián, 1601-1658).

LEI
24

REPRESENTE O CORTESÃO PERFEITO

JULGAMENTO

O cortesão perfeito prospera num mundo onde tudo gira em torno do poder e da habilidade política. Ele domina a arte da dissimulação; ele adula, cede aos superiores e assegura o seu poder sobre os outros da forma mais gentil e dissimulada. Aprenda e aplique as leis da corte e não haverá limites para a sua escalada nela.

AS LEIS DA POLÍTICA DA CORTE

Evite a Ostentação. Não é prudente ficar falando muito de si mesmo ou chamar muita atenção para o que você faz. Quanto mais você falar sobre seus feitos, mais desconfiança despertará. Você pode também criar tanta inveja entre seus pares a ponto de induzir traições e punhaladas pelas costas.

Pratique o Desinteresse. Nunca pareça estar se esforçando muito. Seu talento deve parecer fluir naturalmente, com uma facilidade que faz as pessoas o tomarem por um gênio, não um viciado no trabalho. Mesmo quando alguma coisa exige muito suor, faça com que pareça simples – as pessoas preferem não ver o seu sangue, suor e lágrimas, o que é outra forma de ostentação. É melhor que elas se encantem com o seu estilo tranquilo de conseguir as coisas do que se perguntem por que isso está dando tanto trabalho.

Seja Frugal nos Elogios. Pode parecer que seus superiores nunca se fartam de elogios, mas o excesso, até do que é bom, desmerece o seu valor. E também desperta a desconfiança nos seus pares. Aprenda a elogiar indiretamente – reduzindo a im-

O homem que conhece a corte é senhor dos seus gestos, dos seus olhos e do seu rosto; ele é profundo, impenetrável; ele dissimula maus serviços, sorri para os inimigos, controla a sua irritação, disfarça as suas paixões, mente para o seu coração, fala e age contrário aos seus sentimentos.
JEAN DE LA BRUYÈRE, 1645-1696

É sensato ser polido; por conseguinte, é idiotice ser rude. Criar inimigos com a falta desnecessária e proposital de civilidade é insensatez tão grande quanto tocar fogo na própria casa. Porque a polidez é como uma ficha – uma moeda reconhecidamente falsa e com a qual é tolice agir com avareza. O homem de bom senso será generoso ao usá-la... A cera, substância naturalmente dura e quebradiça, pode se tornar macia aplicando-se um pouco de calor, adquirindo a forma que mais lhe agradar. Da mesma maneira, sendo polido e gentil, você pode tornar as pessoas dóceis e servis, mesmo que tendam a ser

portância da sua própria contribuição, por exemplo, para colocar o seu senhor em melhor situação.

Providencie para Ser Notado. Existe aí um paradoxo: você não pode se exibir descaradamente, mas também deve se fazer notado. Na corte de Luís XIV, a pessoa para quem o rei decidisse olhar subia instantaneamente de nível na hierarquia palaciana. Você não tem nenhuma chance de subir se o governante não o notar submerso no meio de todos os outros cortesãos. Esta tarefa exige muita arte. No início quase sempre é uma questão de ser visto, literalmente falando. Preste atenção à sua aparência física, portanto, e descubra como criar um estilo e uma imagem diferentes – *sutilmente* diferentes.

Altere o seu Estilo e Linguagem de Acordo com a Pessoa com Quem Está Lidando. A pseudocrença na igualdade – a ideia de que falar e agir da mesma maneira com todos, não importa o nível deles, faz de você um modelo de pessoa civilizada – é um terrível engano. Quem estiver abaixo de você tomará isso como uma forma de condescendência, o que de fato é, e os que estão acima ficarão ofendidos, embora possam não admitir isso. Você deve mudar o seu estilo e a sua maneira de falar de acordo com cada pessoa. Isto não é mentir, é interpretar, e interpretar é uma arte, não um dom divino.

Não Seja o Portador de Más Notícias. O rei mata o mensageiro que lhe traz más notícias: é clichê, mas é verdade. Você deve se esforçar e, se necessário, mentir e enganar, para garantir que a sina do portador das más notícias caia sobre um colega, jamais sobre você.

rabugentas e malevolentes. Portanto, a polidez é para a natureza humana o que o calor é para a cera.
ARTHUR SCHOPENHAUER, 1788-1860

Não Finja Amizade ou Intimidade com o seu Senhor. Ele não quer um amigo como subordinado, ele quer um subordinado. Jamais se aproxime dele com um ar à vontade e cordial, ou aja como se fossem muito amigos – essa prerrogativa é *dele*.

Não Critique Diretamente Quem Está Acima de Você. Pode parecer óbvio, mas há ocasiões em que uma certa crítica é necessária – ficar calado, ou não dar nenhum conselho, vai deixá-lo exposto a outros tipos de risco. Você deve aprender, entretanto, a dar o seu conselho ou fazer a sua crítica da forma mais indireta e polida possível.

Seja Frugal ao Pedir um Favor a Quem Está em Posição Superior a Você. Nada irrita mais um senhor do que ter de negar um pedido. Isto desperta o seu sentimento de culpa e ressentimento. Peça favores o mais raramente possível e saiba quando parar. Melhor do que se fazer de suplicante é merecer os seus favores, de forma que o governante os conceda de boa vontade. Mais importante: não peça favores em nome de outra pessoa, muito menos de um amigo.

Não Brinque com o Gosto nem com a Aparência. O bom humor e a espirituosidade são qualidades essenciais para um bom cortesão e há momentos em que a vulgaridade é apropriada e interessante. Mas evite qualquer tipo de piada sobre gosto ou aparência, duas áreas altamente sensíveis, especialmente quando se trata de pessoas acima de você.

Não Seja Sarcástico. Expresse admiração pelo bom trabalho dos outros. Se constantemente criticar seus iguais ou subordinados, parte dessa crítica vai sobrar para você, acompanhando-o como uma nuvem negra aonde quer que vá. As pessoas vão resmungar a cada novo comentário cético e você as irritará. Ao expressar uma modesta admiração pelas conquistas dos outros, você paradoxalmente chama atenção para as suas.

Tenha Autocrítica. O espelho é uma invenção milagrosa; sem ele você cometeria grandes pecados contra a beleza e o decoro. Você também precisa de um espelho para suas ações. Ele pode às vezes vir na forma de outras pessoas que lhe dizem o que estão vendo em você, mas esse não é o método mais confiável: o espelho tem de ser *você*, treinando a sua mente para se ver como os outros o veem. Suas atitudes estão muito obsequiosas? Está se esforçando muito para agradar? Parece desesperado por atenção, dando a impressão de estar em declínio? Tenha autocrítica e evitará uma montanha de disparates.

Controle suas Emoções. Como um ator numa grande peça, você deve aprender a chorar e a rir por encomenda e na hora certa. Deve ser capaz tanto de disfarçar sua raiva e frustração quanto de fingir que está satisfeito e de acordo. Você deve saber controlar a expressão do seu próprio rosto.

Entre no Espírito da Época. Uma leve afetação de uma era passada pode ser um charme, desde que já se tenham passado no mínimo vinte anos. Usar a moda de dez anos atrás é ridículo, a não ser que você goste do papel de bobo da corte. Seu espírito e maneira de pensar devem estar atualizados, mesmo que a moda agrida a sua sensibilidade. Pense muito à frente do seu tempo, entretanto, e ninguém o compreenderá.

Seja uma Fonte de Prazer. Isto é importante. Uma lei óbvia da natureza humana nos faz fugir do que é desagradável e repugnante, enquanto o charme e a promessa de prazer nos atraem como mariposas para a chama da vela. Seja a chama e você subirá ao topo. Como a vida é tão cheia de coisas desagradáveis e o prazer tão raro, você se torna tão indispensável quanto comer e beber. Pode parecer óbvio, mas o óbvio às vezes é ignorado ou desvalorizado. Há graduações nisso: nem todos podem representar o papel do favorito, pois nem todos foram abençoados com charme e inteligência. Mas todos nós podemos controlar nossas qualidades desagradáveis e obscurecê-las quando necessário.

LEI

25

RECRIE-SE

JULGAMENTO
Não aceite os papéis que a sociedade lhe impinge. Recrie-se forjando uma nova identidade, uma que chame atenção e não canse a plateia. Seja senhor da sua própria imagem, em vez de deixar que os outros a definam para você. Incorpore artifícios dramáticos aos gestos e ações públicas – seu poder se fortalecerá e sua personagem parecerá maior do que a realidade.

O homem que pretende fazer fortuna nesta antiga capital do mundo [Roma] deve ser um camaleão capaz de refletir as cores da atmosfera que o circunda – um Proteus capaz de assumir qualquer forma. Deve ser sutil, flexível, insinuante, secreto, inescrutável, frequentemente egoísta, às vezes sincero, às vezes pérfido, sempre escondendo parte do seu conhecimento, comprazendo-se em um só tom de voz, paciente, senhor perfeito de suas atitudes, frio como o gelo quando qualquer outro homem se inflamaria, e se, infelizmente, não for religioso – ocorrência muito comum em almas possuidoras dos

AS CHAVES DO PODER

A personalidade que lhe parece inata não é necessariamente você. Além das características herdadas, seus pais, amigos e colegas ajudaram a moldá-la. A tarefa prometeica do poderoso é a de assumir o controle do processo, não deixar mais que os outros tenham essa capacidade de limitá-la e moldá-la. Recrie-se como uma personagem de poder. Esculpir você mesmo em um bloco de argila deve ser uma das tarefas mais importantes e agradáveis da sua vida. Faz de você basicamente um artista – um artista criando a si próprio.

O primeiro passo no processo da autocriação é a autoconsciência – o estar consciente de si mesmo como ator e assumir o controle da sua aparência e das suas emoções. Como disse Diderot, o mau ator é aquele que é sempre sincero. As pessoas que estão sempre expondo a todos o que sentem são aborrecidas e constrangedoras. Apesar da sua sinceridade, é difícil levá-las a sério. Quem chora em público pode temporariamente despertar simpatia, mas a obsessividade dessas pessoas transforma logo a simpatia em desdém e irritação.

Os bons atores se controlam mais. Eles podem *fingir* sinceridade e franqueza, podem simular uma lágrima e um ar compassivo se quiserem, mas não precisam sentir isso. Eles exteriorizam emoções de uma forma que os outros possam compreender. Representar segundo o Método é fatal no mundo real. Nenhum governante ou líder seria capaz de representar esse papel se todas as emoções mostradas tivessem de ser reais. Portanto, aprenda a se controlar. Adote a plasticidade do ator, que consegue expressar no rosto as emoções necessárias.

O segundo passo no processo da autocriação é a criação de uma personagem memorável, que chame atenção, que se erga acima dos outros atores no palco. Este era o jogo de Abraham Lincoln. O homem simples, do campo, era um tipo de presidente que a América nunca tinha tido, mas que ficaria encantada em eleger. Embora muitas destas qualidades lhe fossem naturais, ele as representava – o chapéu, as roupas, a barba. (Nenhum presidente antes dele usou barba.)

O bom drama, entretanto, requer mais do que uma aparência interessante ou um único momento em evidência. O drama acontece ao longo do tempo – é um evento que se desdobra. O ritmo e o tempo são críticos. Um dos elementos mais importantes no ritmo do drama é o suspense. A chave para manter a plateia sentada na beira da poltrona é deixar que os acontecimentos se desenrolem lentamente, depois acelerá-los no momento certo, de acordo

requisitos acima – deve ter a religião na mente, isto é, no rosto, nos lábios, nos modos; deve suportar em silêncio; se for um homem honesto, a necessidade de se saber um consumado hipócrita. O homem cuja alma odiaria tal vida deve deixar Roma e buscar fortuna em outro lugar. Não sei se estou tecendo louvores a mim mesmo ou me desculpando, mas de todas essas qualidades só possuo uma – isto é, a flexibilidade.

MEMÓRIAS,
GIOVANNI
CASANOVA,
1725-1798

com um plano e um andamento que é você quem controla. Os grandes governantes, de Napoleão a Mao Tsé-tung, usaram o ritmo dramático para surpreender e distrair seu público.

Lembre-se de que exagerar na representação pode ser contraproducente – é outra forma de se esforçar demais para chamar atenção. O ator Richard Burton descobriu, logo no início da sua carreira, que ficando totalmente parado em cena fazia as pessoas olharem para ele e não para os outros atores. O importante não é tanto o que você faz, nitidamente, mas como faz – a sua imobilidade graciosa e imponente no palco social conta mais do que o exagero na representação e nos movimentos.

Finalmente: aprenda a representar muitos papéis, a ser aquilo que a ocasião exige. Adapte a sua máscara à situação – tenha múltiplas faces. Bismarck era excelente neste jogo: com os liberais ele era liberal, com os agressivos ele era agressivo. Ninguém conseguia agarrá-lo, e o que não se agarra não se consome.

Imagem: O Deus Grego Marinho, Proteus. Seu poder estava em ser capaz de mudar de forma à vontade, de ser o que a ocasião exigia. Quando Menelau, irmão de Agamenon, tentou capturá-lo, Proteus se transformou em leão, depois em serpente, pantera, javali, água corrente e, por fim, numa árvore frondosa.

Autoridade: Saiba como ser todas as coisas para todos os homens. Um Proteus discreto – um erudito entre eruditos, um santo entre santos. Essa é a arte de conquistar a todos, pois os iguais se atraem. Registre o temperamento das pessoas que você conhece e se adapte a cada uma delas – passe de sério a jovial, mudando de humor discretamente (Baltasar Gracián, 1601-1658).

LEI 26

MANTENHA AS MÃOS LIMPAS

JULGAMENTO
Você deve parecer um modelo de civilidade e eficiência: suas mãos não se sujam com erros e atos desagradáveis. Mantenha essa aparência impecável fazendo os outros de joguete e bode expiatório para disfarçar a sua participação.

AS CHAVES DO PODER
Erros ocasionais são inevitáveis – o mundo é muito imprevisível. Gente poderosa, entretanto, se destrói não pelos enganos que comete, mas pelo modo como lida com eles. Como cirurgiões, é preciso extirpar o tumor com rapidez e decisão. Justificativas e pedidos de desculpa são ferramentas muito grosseiras para esta delicada operação; o poderoso as evita.

Desculpando-se, você se expõe a todos os tipos de dúvidas quanto à sua competência, às suas intenções e se cometeu outros erros que não confessou. Desculpas não satisfazem a ninguém e justificativas deixam todos constrangidos. O erro não desaparece com um pedido de desculpa; ele cresce e supura. Melhor cortá-lo fora instantaneamente, distrair as atenções para um bode expiatório antes que as pessoas tenham tempo de pensar na sua responsabilidade ou possível incompetência.

Quase sempre é preferível escolher a vítima mais inocente possível como bode expiatório. Pessoas assim não terão poder suficiente para lutar contra você, e seus protestos ingênuos poderão parecer exagerados – poderão ser vistos, em outras palavras, como sinal da sua culpa. Cuidado, entretanto, para não criar um mártir. É importante que *você* continue sendo a vítima, o pobre líder traído pela incompe-

Faça você mesmo o que é agradável; e o desagradável, através de terceiros. Com a primeira atitude você ganha estima, com a segunda desvia o rancor. Assuntos importantes muitas vezes requerem recompensas e punições. Deixe que só o que for bom venha de você, o que é ruim vem dos outros.

BALTASAR
GRACIÁN,
1601-1658

tência dos que o cercam. Se o bode expiatório parecer fraco demais e o seu castigo muito cruel, o tiro pode sair pela culatra. Às vezes você deve encontrar um bode expiatório mais poderoso – que a longo prazo desperte menos simpatia.

Seguindo esta tendência, a história tem demonstrado várias vezes que vale a pena usar um associado próximo como bode expiatório. Isto é conhecido como "Queda do Favorito".

Como um líder, você jamais deve sujar as suas mãos com tarefas desagradáveis ou atos sangrentos, com qualquer coisa que possa fazer você parecer vil ou explorador da sua alta posição. Mas o poder não sobrevive sem o constante esmagar de inimigos – haverá sempre coisinhas desagradáveis que precisam ser feitas para mantê-lo no poder. O que você precisa é de um pau-mandado, alguém que faça o trabalho sujo, perigoso. Semelhante ao bode expiatório, o pau-mandado ajudará você a preservar a sua imaculada reputação.

O pau-mandado em geral será uma pessoa fora do seu círculo imediato, e portanto com menos probabilidade de perceber que está sendo usado. Você vai encontrar esses trouxas por toda parte – gente que gosta de lhe prestar favores, especialmente se lhes atirar um ossinho ou dois em troca. Mas conforme eles cumprem as tarefas que lhe parecem bastante inocentes, ou pelo menos totalmente justificadas, na verdade estão limpando o campo para você, espalhando as informações que você lhes passa, prejudicando pessoas que eles não percebem que são suas rivais, inadvertidamente favorecendo a sua causa, sujando as mãos deles enquanto você continua limpo.

O jeito mais fácil e eficaz de usar um pau-mandado é quase sempre contando-lhe alguma coisa que ele vai passar para o seu principal alvo. Informações falsas ou plantadas são uma ferramenta poderosa, especialmente se espalhadas por um trouxa de quem ninguém desconfia. Você vai ver que é muito fácil bancar o inocente e se disfarçar para que ninguém veja que a fonte é você.

Em qualquer situação, você deve sempre arrumar alguém para ser o carrasco, ou o portador das más notícias, enquanto você só traz alegria e boas-novas.

Imagem: O Bode Inocente. No Dia da Expiação, o grande sacerdote traz o bode ao Templo, coloca as mãos sobre a sua cabeça e confessa os pecados do povo transferindo a culpa para o animal inocente, que é depois abandonado no deserto, desaparecendo com ele os pecados e as culpas do povo.

Autoridade: Loucura não é cometer loucuras, e sim não conseguir escondê-las. Todos os homens erram, mas o sábio esconde os enganos que cometeu, enquanto o louco os torna públicos. A reputação depende mais do que se esconde do que daquilo que se mostra. Se você não pode ser bom, seja cuidadoso (Baltasar Gracián, 1601-1658).

LEI

27

JOGUE COM A NECESSIDADE QUE AS PESSOAS TÊM DE ACREDITAR EM ALGUMA COISA PARA CRIAR UM SÉQUITO DE DEVOTOS

JULGAMENTO
As pessoas têm um desejo enorme de acreditar em alguma coisa. Torne-se o foco desse desejo oferecendo a elas uma causa, uma nova fé para seguir. Use palavras vazias de sentido, mas cheias de promessas; enfatize o entusiasmo de preferência à racionalidade e à clareza de raciocínio. Dê aos seus novos discípulos rituais a serem cumpridos, peça-lhes que se sacrifiquem por você. Na ausência de uma religião organizada e de grandes causas, o seu novo sistema de crença lhe dará um imensurável poder.

Para fundar uma nova religião é preciso ser psicologicamente infalível no conhecimento de um certo tipo mediano de almas que ainda não reconheceram que pertencem ao mesmo grupo.

FRIEDRICH
NIETZSCHE,
1844-1900

COMO CRIAR UM CULTO EM CINCO ETAPAS

Na busca, necessária, de métodos para obter o poder com o mínimo de esforço, você verá que a criação de um séquito de devotos é o mais eficaz. Ter um grande séquito abre inúmeras possibilidades de trapaça; não só eles o adorarão, como o defenderão de seus inimigos e assumirão voluntariamente o trabalho de atrair outros para o seu novo culto. Este tipo de poder o elevará a uma nova esfera: você não terá mais de se esforçar, ou usar de subterfúgios, para impor a sua vontade. Você é adorado e não erra.

Talvez você ache que criar um séquito desses seja uma tarefa colossal, mas ela é muito simples. Sempre apressados para acreditar em alguma coisa, fabricamos do nada santos e crenças. Não desperdice esta credulidade: faça-se o objeto de adoração. Faça com que as pessoas criem um culto à sua volta seguindo estes cinco passos fáceis:

Etapa 1: Seja Vago, Seja Simples. Para criar um culto você deve primeiro chamar atenção. Isto não deve ser feito com ações, que são muito claras e de fácil compreensão, mas com palavras, que são nebulosas e enganadoras. No início, seus discursos, conversas e entrevistas devem incluir dois

elementos: um, a promessa de algo grandioso e transformador; e outro, a total indefinição. Estes dois elementos combinados estimularão os mais variados tipos de sonho nebuloso nos seus ouvintes, que farão as suas próprias conexões e verão o que quiserem ver.
 Tente tornar o tema do seu culto uma novidade, para que poucos o compreendam. Feita da forma correta, a combinação de promessas vagas, conceitos nebulosos, mas atraentes, e flamejante entusiasmo deixará as pessoas comovidas e um grupo se formará ao seu redor.

Os homens são tão simplórios, e tão dominados por suas necessidades imediatas, que um mentiroso sempre encontrará muitos prontos para serem enganados.

NICOLAU MAQUIAVEL, 1469-1527

Etapa 2: Enfatize os Elementos Visuais e Sensoriais, de Preferência aos Intelectuais. Depois que as pessoas começam a se congregar à sua volta, dois perigos surgem naturalmente: o tédio e o ceticismo. O tédio fará as pessoas se afastarem, o ceticismo lhes permitirá um distanciamento para analisar mais racionalmente o que você oferece, desfazendo a névoa que engenhosamente criou e revelando o que realmente pensa. Você precisa distrair os entediados, portanto, e afastar os céticos.
 A melhor maneira é fazer teatro ou outras coisas desse tipo. Cerque-se de luxo, atordoe seus seguidores com o esplendor visual, encha os olhos deles com espetáculos. Você não só impedirá que eles vejam

que suas ideias são absurdas, que o seu sistema de crença é falho, como chamará mais atenção e atrairá mais seguidores.

Etapa 3: Copie as Formas da Religião Organizada para Estruturar o Grupo.
Seu séquito está crescendo, é hora de organizá-lo. Descubra um jeito ao mesmo tempo alegre e agradável. As religiões organizadas há muito tempo exercem uma inquestionável autoridade sobre um grande número de pessoas, e continuam assim na nossa era supostamente secular. E mesmo que a religião tenha perdido um pouco da sua influência, suas formas ainda ecoam poder. As associações altivas e sagradas da religião organizada podem ser infinitamente exploradas. Crie rituais para os seus seguidores; organize-os hierarquicamente, nivelando-os em graus de santidade, e dando-lhes nomes e títulos com matizes religiosos; peça-lhes sacrifícios que encherão o seu cofre e aumentarão o seu poder.

Etapa 4: Disfarce a sua Fonte de Renda.
O seu grupo cresceu e você o estruturou como uma Igreja. Seus cofres estão começando a se encher com o dinheiro dos fiéis. Mas você não deve parecer muito ávido de dinheiro e do poder que ele traz.

É neste momento que você precisa disfarçar a sua fonte de renda. Seus seguidores querem acreditar que, acompanhando você, tudo de bom lhes cairá no colo. Cercando-se de luxo você se torna prova da estabilidade do seu sistema de crença. Não revele jamais que a sua riqueza vem é do bolso deles; pelo contrário, faça parecer que ela se origina da autenticidade dos seus métodos.

Etapa 5: Estabeleça uma Dinâmica Nós *versus* Eles. O grupo agora é grande e está prosperando, um ímã atraindo uma quantidade cada vez maior de partículas. Mas se você não prestar atenção, vem a inércia e o tempo acrescido do tédio desmagnetiza o grupo. Para manter unidos os seus seguidores, você agora deve fazer o que todas as religiões e sistemas de crenças fizeram: criar uma dinâmica nós *versus* eles.

Primeiro, certifique-se de que seus seguidores acreditam que participam de um clube exclusivo, unidos por uma mistura de objetivos comuns a todos. Depois, para reforçar esta união, crie a ideia de um inimigo traiçoeiro disposto a acabar com vocês.

Foi uma vantagem para o charlatão que os indivíduos predispostos à credulidade se multiplicassem, que os grupos de seus partidários se ampliassem em massa, garantindo um alcance ainda maior para os seus triunfos.

O PODER DO CHARLATÃO, GRETE DE FRANCESCO, 1939

LEI 28

SEJA OUSADO

JULGAMENTO
Inseguro quanto ao que fazer, não tente. Suas dúvidas e hesitações contaminarão os seus atos. A timidez é perigosa: melhor agir com coragem. Qualquer erro cometido com ousadia é facilmente corrigido com mais ousadia. Todos admiram o corajoso; ninguém louva o tímido.

AS CHAVES DO PODER

Em geral, somos todos tímidos. Queremos evitar tensões e conflitos e agradar a todo mundo. Podemos imaginar uma ação corajosa, mas raramente a levamos a efeito. Ficamos assustados com as consequências, com o que os outros podem pensar de nós, com a hostilidade que despertaremos se ousarmos ir mais além.

Embora possamos disfarçar nossa timidez como uma preocupação com os outros, um desejo de não ofender ou magoá-los, na verdade é o contrário – estamos preocupados realmente é com nós mesmos e com a imagem que os outros fazem de nós. A coragem, por outro lado, é direcionada para fora e costuma fazer as pessoas se sentirem mais à vontade, visto que é menos reservada e menos reprimida.

Ela não induz à deselegância ou embaraço. Por isso admiramos o corajoso e preferimos ficar perto dele, porque a sua autoconfiança nos contagia e nos arranca do nosso próprio reino de introspecção e reflexões.

Raros são os que nascem ousados. Até Napoleão teve de cultivar o hábito nos campos de batalha, onde ele sabia que isso era uma questão de vida ou morte. Nos ambientes sociais, ele era desajeitado e tímido, mas tentava superar essa deficiência e ser ousado em todas as áreas da sua

COMO SER VITORIOSO NO AMOR

Mas com aqueles que tocam o seu coração, notei que você é tímido. Esta qualidade pode afetar uma burguesa, mas você deve usar outras armas para atacar o coração de uma mulher do mundo... Eu lhe digo em nome das mulheres: não há uma só de nós que não prefira uma leve indelicadeza à demasiada consideração. Os homens perdem mais corações pela falta de jeito do que a virtude os salva. Quanto mais tímido um amante se mostrar, mais o nosso orgulho se preocupará em espicaçá-lo; quanto mais respeito ele tiver pela nossa resistência, mais respeito

LEI 28 | *155*

exigiremos dele. Gostaríamos de dizer aos homens: "Ah, por piedade, não nos suponham tão virtuosas: vocês nos forçam a exagerar..." Estamos continuamente lutando para esconder o fato de que nos permitimos ser amadas. Coloque uma mulher em posição de dizer que ela cedeu apenas a uma espécie de violência ou à surpresa: convença-a de que você não a subestima, e eu responderei por ela... Um pouco mais de coragem da sua parte deixaria os dois à vontade. Lembre-se do que M. de la Rochefoucauld lhe disse recentemente: "Um homem sensato apaixonado pode

vida porque reconhecia o tremendo poder da ousadia, porque sabia que ela era capaz de literalmente tornar um homem maior (mesmo alguém, como Napoleão, que fosse obviamente pequeno).

Você deve praticar e desenvolver a sua ousadia. Encontrará frequentemente ocasiões para usá-la. O melhor lugar para começar quase sempre é o delicado mundo das negociações, particularmente aquelas discussões em que lhe pedem para fixar o seu próprio preço. Quantas vezes nos desvalorizamos pedindo muito pouco? Quando Cristóvão Colombo propôs que os espanhóis financiassem a sua viagem para as Américas, exigiu também, com insana ousadia, o título de "Grande Almirante dos Oceanos". A corte concordou. O preço que ele fixou foi o que recebeu – exigiu ser tratado com respeito, e foi. Henry Kissinger também sabia que, nas negociações, fazer exigências ousadas funciona melhor do que começar com concessões gradativas e tentar satisfazer o outro. Coloque o seu preço lá em cima e depois, como fez o conde Lustig, suba mais ainda.

As pessoas têm um sexto sentido para as fraquezas alheias. Se, num primeiro encontro, você demonstra disposição para entrar em acordo, ceder e voltar atrás, desperta o leão até em gente que não está necessariamente sedenta de sangue. Tudo depende de percepção e no momento que você é visto como aquela pessoa que fica logo na defensiva, que está disposto a negociar e ser receptivo, será jogado de um lado para outro sem misericórdia. É sempre melhor, então, impressionar logo à primeira vista, entrar em ação com ousadia. Um movimento ousado faz você parecer maior e mais poderoso do que é. Se for de repente, furtivo e veloz como o de uma serpente, assusta mais. Ao intimidar com um movimento ousado, você estabelece um precedente: em todos os outros encontros a partir daí, as pessoas ficarão na defensiva, morrendo de medo do seu próximo ataque.

agir como um louco, mas não deve nem pode agir como um idiota."

LIFE, LETTERS, AND EPICUREAN PHILOSOPHY OF NINON DE l'ENCLOS, NINON DE l'ENCLOS, 1623-1706

Imagem: O Leão e a Lebre.
O leão não interrompe o
seu caminho – seus movi-
mentos são muito ágeis,
suas mandíbulas muito
rápidas e poderosas. A
tímida lebre fará de tudo
para fugir ao perigo, mas,
na sua pressa de fugir, tro-
peça nas armadilhas e vai
parar na boca do inimigo.

Autoridade: Eu certamente acho
que é melhor ser impetuoso do
que prudente, pois a sorte é uma
mulher e é preciso, se se deseja
dominá-la, conquistá-la pela força; e é visível que ela se deixa
dominar pelo ousado, de preferência ao que age friamente. E
portanto, como uma mulher, ela é
sempre amiga dos jovens, pois são
menos cautelosos, mais ferozes
e a dominam com mais audácia
(Nicolau Maquiavel, 1469-1527).

LEI

29

PLANEJE ATÉ O FIM

JULGAMENTO
O desfecho é tudo. Planeje até o fim, considerando todas as possíveis consequências, obstáculos e reveses que possam anular o seu esforço e deixar que os outros fiquem com os louros. Planejando tudo até o fim, você não será apanhado de surpresa e saberá quando parar. Guie gentilmente a sorte e ajude a determinar o futuro pensando com antecedência.

OS DOIS SAPOS

Dois sapos viviam na mesma lagoa. Quando ela secou com o calor do verão, eles saíram em busca de outro lar. No caminho, passaram por um poço profundo e cheio de água. Ao vê-lo, um dos sapos disse para o outro: "Vamos descer e fazer a nossa casa neste poço, ele nos dará abrigo e alimento." O outro, mais prudente, respondeu: "Mas e se faltar água, como sairemos de um lugar tão fundo?" Não faça nada sem pensar nas consequências.

FÁBULAS,
ESOPO,
SÉCULO VI a.C.

AS CHAVES DO PODER

Segundo a cosmologia dos antigos gregos, os deuses teriam a visão total do futuro. Eles viam tudo que aconteceria, nos mínimos e intrincados detalhes. Os homens, por sua vez, eram vítimas do destino, prisioneiros do momento e das suas emoções, incapazes de ver além do perigo imediato. Heróis como Ulisses, capazes de enxergar além do presente e planejar vários passos com antecedência, pareciam desafiar o destino, aproximar-se dos deuses na sua capacidade de determinar o futuro. A comparação continua válida – quem pensa com antecedência e, pacientemente, conduz seus planos à realização parece ter um poder divino.

Como a maioria das pessoas está presa demais ao momento para planejar com este tipo de previsão, a capacidade de ignorar perigos e prazeres imediatos se traduz em poder. É o poder de ser capaz de superar a tendência natural humana de reagir às coisas conforme elas vão acontecendo, em vez de treinar dar um passo atrás, imaginar as coisas maiores tomando forma além do seu campo imediato de visão.

Em 415 a.C., os atenienses atacaram a Sicília, acreditando que a expedição lhes traria riquezas, poder e um desfecho glorioso para os dezesseis anos da Guerra do

Peloponeso. Não pensaram nos perigos de uma invasão tão longe de casa, não previram que os sicilianos lutariam ainda mais ferozmente, visto que as batalhas se dariam na terra deles, ou que todos os inimigos de Atenas se uniriam contra eles, ou que a guerra estouraria em várias frentes, exaurindo suas forças. A expedição siciliana foi um desastre total, levando à destruição uma das maiores civilizações de todos os tempos. Os atenienses foram conduzidos à ruína por seus corações, não por suas mentes. Eles viram apenas as chances de glória, não os perigos que assomavam a distância.

Segundo o cardeal de Retz: "A causa mais comum dos erros das pessoas é se assustarem demais com o perigo presente, e não o suficiente com o que é remoto." Quanto aos perigos remotos, que avultam a distância, se pudéssemos vê-los tomando forma, quantos enganos evitaríamos. Quantos planos abortaríamos instantaneamente se percebêssemos que, evitando um pequeno perigo, só fazemos cair em outro maior. Há tanto poder não no que você faz, mas no que você não faz – naquelas ações tolas e precipitadas de que você se abstém, antes que elas o metam em maiores confusões. Planeje todos os detalhes antes de agir – não permita que a indefinição dos seus planos lhe cause problemas.

Quem procura videntes para saber o futuro está se privando, inconscientemente, de uma sugestão interior mil vezes mais precisa do que qualquer coisa que eles possam dizer.

WALTER
BENJAMIN,
1892-1940

Haverá consequências não previstas? Surgirão novos inimigos? Alguém vai tirar proveito do meu esforço? Finais infelizes são muito mais comuns do que os felizes – não se deixe iludir pelo final feliz que você está imaginando.

Quando você prevê várias etapas com antecedência, e planeja seus movimentos até o fim, não será mais tentado pela emoção ou pelo desejo de improvisar. Sua lucidez o livrará da ansiedade e da indefinição que é a razão básica de tantos deixarem de concluir com sucesso as suas ações. Você enxerga o desfecho e não tolera desvios.

Imagem: Os Deuses no Olimpo. Olhando as ações dos humanos, lá de cima das nuvens, eles anteveem o desfecho de todos os grandes sonhos que levam à ruína e à tragédia. E riem da nossa incapacidade de ver além do momento presente, e de como nos iludimos.

Autoridade: Não entrar é tão mais fácil do que ter de sair! Devemos agir ao contrário do junco que, ao primeiro despontar, lança uma haste longa e reta, mas, depois, como que exausto... faz vários nós densos, indicando que não possui mais o vigor e o impulso originais. É melhor começar gentil e tranquilamente, poupando o fôlego para o embate e os golpes vigorosos para concluir o nosso trabalho. No início, nós é que orientamos os negócios e os mantemos em nosso poder; mas, frequentemente, uma vez colocados em ação, são eles que nos guiam e nos arrastam (Montaigne, 1533-1592).

LEI

30

FAÇA AS SUAS CONQUISTAS PARECEREM FÁCEIS

JULGAMENTO

Seus atos devem parecer naturais e fáceis. Toda a técnica e o esforço necessários para a sua execução, e também os truques, devem estar dissimulados. Quando você age, age sem se esforçar, como se fosse capaz de muito mais. Não caia na tentação de revelar o trabalho que você teve – isso só despertará dúvidas. Não ensine a ninguém os seus truques ou eles serão usados contra você.

AS 48 LEIS DO PODER

AS CHAVES DO PODER

A humanidade teve as suas primeiras noções de poder com os primitivos confrontos com a natureza – um relâmpago riscando o céu, uma súbita enchente, a rapidez e ferocidade de um animal selvagem. Estas forças não exigiam pensamento nem planejamento – elas nos assombravam com sua repentina aparição, sua graciosidade e seu poder sobre a vida e a morte. E este continua sendo o tipo de poder que estamos sempre querendo imitar. Usando a ciência e a tecnologia recriamos a velocidade e o poder sublime da natureza, mas falta alguma coisa: nossas máquinas são barulhentas e desajeitadas, elas revelam o esforço que fazem. Até as melhores criações da tecnologia não anulam a nossa admiração por coisas que se movem rápida e facilmente. O poder que as crianças têm de nos fazer ceder às suas vontades vem de um tipo de encanto sedutor que sentimos na presença de uma criatura menos reflexiva e mais graciosa do que nós. Não podemos voltar a esse estado, mas se pudermos criar a aparência deste tipo de facilidade, despertaremos nos outros a reverência primitiva que a natureza sempre evocou na humanidade.

Um dos primeiros escritores europeus a expor este princípio vinha de um dos ambientes mais antinaturais, a corte renascentista. Em *O livro do cortesão*, publica-

*Um verso
[de poesia] nos
tomará horas
talvez.
No entanto, se
não parece uma
ideia instantânea,
nosso coser e
descoser terá
sido inútil.*

A MALDIÇÃO DE
ADÃO, WILLIAM
BUTLER YEATS,
1865-1939

> *Não deixe que ninguém saiba exatamente do que você é capaz. O homem sábio não permite a ninguém sondar a fundo os seus conhecimentos e as suas habilidades, se quiser ser respeitado por todos. Ele permite que sejam conhecidos, mas não compreendidos. Ninguém deve conhecer a extensão das suas habilidades para não se desapontar. A ninguém ele dá oportunidade de compreendê-las totalmente. Pois suposições e dúvidas quanto à extensão dos seus talentos evocam mais respeito do que saber precisamente até onde eles vão, para que sejam sempre excelentes.*
>
> BALTASAR GRACIÁN, 1601-1658

do em 1528, Baldassare Castiglione descreve os modos altamente elaborados e sofisticados do perfeito cidadão palaciano. E no entanto, explica Castiglione, o cortesão deve executar esses gestos com o que ele chama de *sprezzatura*, a capacidade de fazer o que é difícil parecer fácil. Ele recomenda ao cortesão que "pratique em tudo um certo descaso que dissimula o talento artístico e torna o que se diz e o que se faz aparentemente natural e fácil". Todos nós admiramos a realização de algum feito extraordinário, mas se ele for natural e gracioso nossa admiração é dez vezes maior.

A ideia de *sprezzatura* é relevante em todas as formas de poder, pois o poder depende vitalmente das aparências e das ilusões que você cria. Suas ações em público são como obras de arte: devem agradar aos olhos, criar expectativas, até divertir. Quando você revela o esforço da sua criação, torna-se mais um mortal entre tantos outros. O que é compreensível não inspira respeito – achamos que poderíamos fazer igual se também tivéssemos tempo e dinheiro. Evite a tentação de mostrar como você é brilhante – você é mais esperto ocultando os mecanismos do seu brilhantismo.

Existe um outro motivo para esconder seus atalhos e truques: se você deixar vazar essas informações, estará dando aos outros ideias que poderão usar contra você. Você perde o benefício do silêncio. Tendemos a querer que o mundo saiba o que fizemos – queremos recompensar a nossa vaidade conquistando aplausos por nosso esforço e brilhantismo, e até mesmo queremos simpatia pelas horas que levamos para fazer a nossa obra-prima. Aprenda a controlar esta tendência a dar com a língua nos dentes, pois o seu efeito será quase sempre o oposto do esperado. Lembre-se: quanto mais misteriosas as suas ações, maior será o seu poder. Você fica parecendo a única pessoa capaz de fazer o que faz – e a aparência de ser possuidor de um talento exclusivo tem um poder imenso. Finalmente, como você consegue as coisas com graça e facilidade, as pessoas acham sempre que, esforçando-se, você poderia fazer mais. Isto desperta não só admiração, como um certo temor. Seus poderes são ilimitados – ninguém sabe até onde eles chegarão.

Imagem: O Cavalo de Corrida. De perto vemos a tensão, o esforço para controlar o cavalo, a respiração difícil e penosa. Mas de longe, de onde estamos sentados assistindo, ele é só elegância, cortando leve o ar. Mantenha os outros a distância e eles só verão a facilidade com que você se movimenta.

Autoridade: Qualquer ação [indiferença], por mais banal que seja, não só revela a habilidade da pessoa, mas também, com muita frequência, a faz ser considerada maior do que é na realidade. Isto porque leva os observadores a acreditar que o homem que faz as coisas tão facilmente deve ser mais hábil do que é na verdade (Baldassare Castiglione, 1478-1529).

LEI 31

CONTROLE AS OPÇÕES: QUEM DÁ AS CARTAS É VOCÊ

JULGAMENTO

As melhores trapaças são as que parecem deixar ao outro uma opção: suas vítimas acham que estão no controle, mas na verdade são suas marionetes. Dê às pessoas opções que sempre resultem favoráveis a você. Force-as a escolher entre o menor de dois males, ambos atendem ao seu propósito. Coloque-as num dilema: não terão escapatória.

J. P. Morgan Sr. certa vez contou a um joalheiro seu conhecido que estava interessado em comprar um alfinete de gravata de pérola. Semanas depois, o joalheiro encontrou uma magnífica pérola, montou-a devidamente e a enviou a Morgan junto com uma conta de cinco mil dólares. No dia seguinte, o embrulho voltou. A nota de Morgan que a acompanhava dizia: "Gostei do alfinete, mas não do preço. Se aceitar o cheque anexo de quatro mil dólares, por favor retorne a caixa sem quebrar o selo." O joalheiro, irritado, não aceitou o cheque e dispensou o mensageiro. Ao abrir a caixa para

AS CHAVES DO PODER

Palavras como "liberdade", "opções" e "escolha" evocam possibilidades muito além dos seus reais benefícios. Examinando bem, as nossas opções – no mercado, nas urnas, nos empregos – tendem a ser incrivelmente limitadas: quase sempre trata-se de escolher entre A e B, o resto do alfabeto não entra. No entanto, se houver a mais leve miragem de opção lá longe, raramente tentamos ver as que faltam.

Com isso, o esperto e o ardiloso ganham enormes oportunidades para trapacear. Quem escolhe entre duas alternativas acha difícil acreditar que está sendo manipulado ou enganado; não vê que você lhe permite uma pequena porção de livre-arbítrio em troca da imposição muito mais forte do seu próprio arbítrio. Definir um leque estreito de opções, portanto, deve sempre fazer parte das suas trapaças.

Estas são algumas das formas mais comuns de "controle de opções":

Disfarce as Opções. A técnica preferida de Henry Kissinger. Como secretário de Estado do presidente Richard Nixon, Kissinger se considerava mais bem informado do que o seu chefe e acreditava que na maioria das situações era capaz de decidir melhor sozinho. Mas, se tentasse determinar a política, ofenderia ou quem sabe irritaria um homem notoriamente inseguro. Assim, Kissinger sugeria três ou quatro opções de ação para cada situação, e as apresentava de tal forma que a sua preferida sempre parecia ser a melhor comparada com as outras. Seguidas vezes, Nixon mordeu a isca, jamais desconfiando que estava sendo induzido por Kissinger. Era um artifício excelente para usar com o mestre inseguro.

guardar o alfinete recusado, ele não estava mais ali. Fora substituído por um cheque de cinco mil dólares.

THE LITTLE,
BROWN BOOK OF
ANECDOTES,
CLIFTON
FADIMAN, ED.,
1985

Force o Resistente. Esta é uma boa técnica para usar com crianças e outras pessoas voluntariosas que gostam de ser do contra: force-as a "escolher" o que você quer que elas façam, aparentando preferir o contrário.

Altere o Tabuleiro do Jogo. Na década de 1860, John D. Rockefeller decidiu criar um monopólio do petróleo. Se ele tentasse comprar as empresas menores, iam saber o que estava fazendo e reagiriam. Em vez disso, ele começou comprando secretamente as companhias de estradas de ferro que transportavam petróleo. Mais tarde, quando tentava comprar uma determinada empresa e encontrava resistência, ele lembrava que ela dependia das linhas de trem. Recusando-se a fazer o transporte, ou simplesmente aumentando as taxas, ele poderia arruinar o negócio deles. Rockefeller alterou o tabuleiro do jogo de tal forma

O chanceler alemão Bismarck, irritado com as constantes críticas de Rudolf Virchow (o patologista e político liberal alemão), mandou que seus assistentes fossem procurar o cientista para desafiá-lo para um duelo. "Como a parte desafiada, cabe a mim escolher as armas", disse Virchow, "e eu escolho estas." E ergueu duas grandes salsichas aparentemente idênticas. "Uma delas", ele continuou, "está contaminada com germes mortais; a outra está sadia. Que Vossa Excelência decida qual deseja comer, e eu comerei a outra." Quase imediatamente voltou a resposta

que aos pequenos produtores de petróleo só restaram as opções que ele lhes oferecia.

Opções Reduzidas. Aumente o seu preço sempre que o comprador hesitar e outro dia se passar. É uma excelente manobra de negociação para usar com os indecisos crônicos, que gostam da ideia de estarem conseguindo uma transação melhor hoje do que se esperassem até amanhã.

O Homem Fraco à Beira do Precipício. Esta tática é semelhante à de "Disfarçar as Opções", mas com os fracos você precisa ser mais agressivo. Trabalhe com as emoções deles – use o medo e o terror para forçá-los a tomar uma atitude. Tente a razão e eles sempre encontrarão um jeito de deixar para depois.

Descreva todos os tipos de riscos, exagerando-os ao máximo, até que eles vejam um abismo enorme se abrindo em todas as direções, menos uma: aquela para onde você os está empurrando.

As Garras de um Dilema. Esta ideia foi demonstrada na famosa marcha sobre a Geórgia do general William Sherman, durante a Guerra Civil Americana. Embora os confederados soubessem em que direção Sherman estava indo, eles nunca sabiam se ele atacaria pela direita ou pela esquerda, pois dividia seus exércitos em duas alas – e, desviando-se de uma, eles enfrentavam a outra. Esta é uma técnica clássica usada pelos advogados nos julgamentos: o advogado leva as testemunhas a decidir entre duas explicações possíveis para o que aconteceu, ambas fragilizando a sua história. Elas têm de responder às perguntas do advogado, mas tudo que dizem as incrimina. A chave para este movimento é atacar rapidamente: não deixar que a vítima tenha tempo para pensar numa escapatória. Enquanto tentam resolver o dilema, cavam o próprio túmulo.

dizendo que o chanceler decidira cancelar o duelo.

CITADO EM CLIFTON FADIMAN, ED. THE LITTLE, BROWN BOOK OF ANECDOTES, 1985

Imagem: Os Chifres do Touro. O touro o encurrala com seus chifres — não um só, do qual você talvez conseguisse fugir, mas um par de chifres que o mantém preso entre eles. Vire-se para a direita ou para a esquerda — seja para onde for, você não escapa de ser espetado.

Autoridade: Pois as feridas e todos os outros males que os homens infligem a si próprios espontaneamente, e por sua livre escolha, são a longo prazo menos dolorosos do que os infligidos por outras pessoas (Nicolau Maquiavel, 1469-1527).

LEI 32

DESPERTE A FANTASIA DAS PESSOAS

JULGAMENTO
Em geral evita-se a verdade porque ela é feia e desagradável. Não apele para o que é verdadeiro ou real se não estiver preparado para enfrentar a raiva que vem com o desencanto. A vida é tão dura e angustiante que as pessoas capazes de criar romances ou invocar fantasias são como oásis no meio do deserto: todas correm até lá. Há um enorme poder em despertar a fantasia das massas.

AS CHAVES DO PODER
A fantasia não atua sozinha. Ela exige a rotina como pano de fundo. É a opressão da realidade que permite à fantasia enraizar-se e florescer.

Quem consegue tecer com os fios da dura realidade uma fantasia tem acesso a poderes incalculáveis. Na busca pela fantasia que vai dominar as massas, portanto, fique de olho nas trivialidades que pesam tanto sobre todos nós. Não se distraia com os retratos glamourosos que as pessoas fazem de si mesmas e das suas vidas; pesquise o que realmente as aprisiona. Uma vez descobrindo isso, você tem a chave mágica que colocará em suas mãos um grande poder.

Embora os tempos e as pessoas mudem, vamos examinar algumas das realidades opressivas que não mudam e as oportunidades de poder que elas proporcionam:

A Realidade: A mudança é lenta e gradual. Exige muito trabalho, um pouco de sorte, uma quantidade razoável de sacrifício pessoal e muita paciência.

A Fantasia: Uma transformação repentina provocará uma mudança total no destino de uma pessoa, evitando o trabalho, a sorte, o sacrifício pessoal e a demora de um só golpe fantástico.

Esta é a fantasia por excelência dos charlatões que até hoje ficam nos rondando e foi a chave do sucesso de Bragadino. Prometa uma grande e radical mudança – da pobreza para a riqueza, da doença para a saúde, da miséria para o êxtase – e você terá seguidores.

A Realidade: A sociedade tem códigos e limites bem definidos. Nós compreendemos estes limites e sabemos que temos que nos mover dentro dos mesmos círculos familiares, dia e noite.

A Fantasia: Podemos entrar num mundo totalmente novo, de códigos diferentes e com a promessa de aventuras.

Se quiser contar mentiras que pareçam verídicas, não conte a verdade na qual ninguém vai acreditar.

IMPERADOR
TOKUGAWA
IEYASU DO JAPÃO,
SÉCULO XVII

No início do século XVIII, toda Londres se alvoroçou com os boatos sobre um estranho misterioso, um jovem chamado George Psalmanazar. Ele acabara de chegar de uma terra que a maioria dos ingleses julgava fantástica: a ilha de Formosa (hoje Taiwan), na costa da China. A Universidade de Oxford contratou Psalmanazar para ensinar a língua que se falava naquela ilha; alguns anos depois ele traduziu a Bíblia e, em seguida, escreveu um livro – que se tornou logo um bestseller – sobre a história e a geografia de Formosa. A realeza inglesa recebia prodigamente o jovem, e ele, onde quer que fosse, divertia seus anfitriões com histórias maravilhosas sobre a sua terra natal. Quando Psalmanazar morreu, entretanto, seu testamento revelou que ele era apenas um francês com uma fértil imaginação. Tudo que ele contara sobre Formosa – seu alfabeto, seu idioma, sua literatura, toda a sua cultura – era invenção sua. Ele se baseou na ignorância de seus ouvintes para inventar uma complicada história que satisfazia um desejo pelo que era estranho e exótico. O rígido controle da cultura britânica sobre os perigosos sonhos das pessoas lhe deu uma oportunidade ótima para explorar as suas fantasias.

A Realidade: Morte. Os mortos não voltam, não se muda o passado.
A Fantasia: Uma súbita inversão deste fato intolerável.

Há muito tempo que se reconhece a beleza e a importância da arte de Vermeer, mas seus quadros são poucos e extremamente raros. Na década de 1930, entretanto, começaram a surgir Vermeer no mercado de arte. Chamaram especialistas para conferir e eles garantiram que eram autênticos. Possuir um destes novos Vermeer seria o auge da carreira de um colecionador. Era como a ressurreição de Lázaro:

curiosamente, Vermeer tinha ressuscitado. Alterou-se o passado. Só mais tarde se soube que os novos Vermeer eram obra de um falsário holandês de meia-idade, um tal Hans van Meegeren. E ele tinha escolhido Vermeer porque compreendeu o mecanismo da fantasia: os quadros pareceriam reais exatamente porque o público e os especialistas também queriam muito acreditar que eram. Lembre-se: a chave para a fantasia é a distância. O que está distante fascina e promete, parece simples e sem problemas. O que você está oferecendo, portanto, deve ser inalcançável. Não deixe que se torne opressivamente familiar; é a miragem lá longe, que se vai afastando conforme o tolo se aproxima. Não seja muito objetivo ao descrever a fantasia – mantenha-a indefinida. Como um forjador de fantasias, deixe a vítima se aproximar o bastante para ver e se sentir tentada, mantendo-a porém afastada o suficiente para continuar sonhando e desejando.

Imagem: A Lua. Inatingível, sempre mudando de forma, desaparecendo e reaparecendo. Nós a olhamos, imaginamos, nos maravilhamos e ansiamos por ela – jamais familiar, contínua provocadora de sonhos. Não ofereça o óbvio. Prometa a lua.

Autoridade: A mentira é um feitiço, uma invenção, que pode ser ornamentada como uma fantasia. Pode estar revestida com ideias místicas. A verdade é fria, sóbria, não tão confortável de se assimilar. A mentira é mais apetitosa. A pessoa mais detestável do mundo é a que sempre fala a verdade, nunca romanceia... Eu acho sempre mais interessante e lucrativo romancear do que dizer a verdade (Joseph Weil, vulgo "The Yellow Kid", 1877-1976).

LEI 33

DESCUBRA O PONTO FRACO DE CADA UM

JULGAMENTO

Todo mundo tem um ponto fraco, uma brecha no muro do castelo. Essa fraqueza em geral é uma insegurança, uma emoção ou necessidade incontrolável; pode também ser um pequeno prazer secreto. Seja como for, uma vez encontrado esse ponto fraco, é ali que você deve apertar.

O LEÃO, A
CAMURÇA
E A RAPOSA

Um leão perseguia uma camurça num vale. Estava prestes a agarrá-la e com olhos cúpidos previa um garantido e satisfatório repasto. Parecia impossível à vítima escapar, uma ravina profunda barrava o caminho tanto do caçador quanto da caça. Mas a ágil camurça, reunindo todas as suas forças, lançou-se como uma flecha sobre o abismo e parou do outro lado sobre uma pedra. Nosso leão deteve-se abruptamente. Mas naquele momento um amigo dele passava por ali. Esse amigo era a raposa. "O quê!", ela disse, "com a sua força e

DESCOBRINDO O PONTO FRACO:
Um Plano Estratégico de Ação

Todos nós temos resistências. Vivemos dentro de uma eterna armadura que nos defende de mudanças e intromissões de amigos e rivais. Só queremos que nos deixem fazer as coisas a nosso modo. Forçar constantemente essas resistências vai lhe custar muita energia. Uma das coisas mais importantes a respeito das pessoas, entretanto, é que todas elas têm um ponto fraco, alguma parte na sua armadura psicológica que *não* resistirá, que cederá à sua vontade se você conseguir encontrá-la e forçar a entrada. Algumas pessoas revelam abertamente as suas fraquezas, outras as disfarçam. Aquelas que disfarçam são as mais fáceis de destruir através dessa única brecha na armadura.

Ao planejar o seu ataque, tenha em mente estes princípios:

Preste Atenção a Gestos e Sinais Inconscientes. Como disse Sigmund Freud, "Nenhum mortal consegue guardar um segredo. Se os lábios se calam, ele fala com a ponta dos dedos; trai-se por todos os poros". Este é um conceito crítico na busca do ponto fraco de alguém – a fraqueza se revela em gestos aparentemente sem importância e palavras que escapam sem querer.

AS 48 LEIS DO PODER

A chave não está apenas no que você está procurando, mas onde e como procura. Conversas do dia a dia são uma mina riquíssima de pontos fracos; portanto, treine o seu ouvido.

Se você desconfia de que alguém tem um ponto fraco, sonde indiretamente. Se, por exemplo, você percebe que um homem tem necessidade de ser amado, elogie-o abertamente. Se ele aceita sofregamente o seu elogio, você está no caminho certo. Treine o seu olho para detalhes – se a pessoa dá gorjeta ao garçom, o que ela gosta, a mensagem oculta na sua maneira de se vestir. Descubra os ídolos das pessoas, as coisas que elas adoram e farão tudo para conseguir ter – talvez você possa lhes proporcionar essas fantasias. Lembre-se: como todos tentamos esconder nossas fraquezas, há pouco o que aprender com nosso comportamento inconsciente. O que vem filtrado nas pequenas coisas que fogem ao nosso controle consciente é o que você quer saber.

Descubra a Criança Desamparada.
A maioria das fraquezas começa na infância, antes que o ego construa defesas compensatórias. Talvez a criança tenha sido mimada ou tratada com muita condescendência numa área em particular, ou talvez uma certa necessidade emocional tenha

agilidade você vai perder para uma fraca camurça? Basta querer e será capaz de fazer maravilhas. Embora o abismo seja profundo, se você quiser mesmo, tenho certeza de que o vencerá. Sem dúvida você pode confiar na minha amizade desinteressada. Eu não exporia a sua vida a tanto risco se não conhecesse tão bem a sua força e destreza." O sangue do leão ferveu nas veias. Ele se atirou com toda a força ao espaço. Mas não conseguiu vencer o abismo e caiu de cabeça, morrendo na queda. Então, o que fez o seu querido amigo? Desceu cautelosamente até o fundo da ravina e lá, ao ar livre e no espaço aberto, vendo que o leão não

precisava mais de elogios nem de obediência, se dispôs a prestar as últimas exéquias ao amigo morto e, de uma só vez, devorou-o até os ossos.
FÁBULAS DA RÚSSIA, IVAN KRILOFF, 1768-1844

ficado insatisfeita; quando essa criança cresce, a indulgência ou a deficiência pode ficar abafada, mas não desaparece. Conhecer uma necessidade da infância lhe dará uma poderosa chave para a fraqueza de uma pessoa.

Um indício deste ponto fraco é que as pessoas em geral reagem infantilmente quando ele é tocado. Fique atento, portanto, a qualquer comportamento que já deveria ter sido superado.

Procure Contrastes. Um traço evidente quase sempre esconde o oposto. Quem bate no peito em geral é um grande covarde; um exterior pudico pode ocultar uma alma lasciva; o certinho com frequência está louco por uma aventura; o tímido morre por um pouco de atenção. Sondando além das aparências, frequentemente você vê que o ponto fraco das pessoas é o oposto do que elas revelam.

Preencha o Vazio. Os dois principais vazios emocionais são a insegurança e a infelicidade. Os inseguros são ávidos por qualquer tipo de reconhecimento social; quanto aos infelizes crônicos, procure a origem da sua infelicidade. O inseguro e o infeliz são os menos capazes de disfarçar suas fraquezas. A capacidade para preencher os seus vazios emocionais é uma grande fonte de poder, e infinitamente prorrogável.

Alimente Emoções Incontroláveis. A emoção incontrolável pode ser um medo paranoico – um temor desproporcional à situação – ou qualquer motivo básico, como paixão, ganância, vaidade ou ódio. Gente presa a essas emoções não consegue se controlar e você pode fazer esse controle para elas.

> Imagem: O Ponto Nevrálgico. Seu inimigo tem segredos guardados, pensamentos que ele não revela. Mas eles vêm à tona de uma forma incontrolável. Existe ali em algum lugar um ponto frágil na cabeça, no coração, na barriga. Uma vez encontrado, coloque ali o dedo e aperte.

Autoridade: Descubra o ponto fraco de cada homem. Esta é a arte de colocar em ação a vontade deles. É preciso mais habilidade do que resolução. Você precisa saber onde tocar. Cada vontade tem um motivo especial que varia de acordo com o gosto. Todos os homens são idólatras, alguns da fama, outros do interesse próprio, a maioria do prazer. Sabendo a origem principal dos motivos de um homem, você tem a chave para a vontade dele (Baltasar Gracián, 1601-1658).

LEI 34

SEJA ARISTOCRÁTICO AO SEU PRÓPRIO MODO: AJA COMO UM REI PARA SER TRATADO COMO TAL

JULGAMENTO

A maneira como você se comporta em geral determina como é tratado: a longo prazo, aparentando ser vulgar ou comum, você fará com que as pessoas o desrespeitem. Pois um rei respeita a si próprio e inspira nos outros o mesmo sentimento. Agindo com realeza e confiança nos seus poderes, você se mostra destinado a usar uma coroa.

> *Com todos os grandes impostores existe uma ocorrência notável à qual eles devem o seu poder. No próprio ato da impostura eles estão dominados pela crença em si mesmos: é isto então que se manifesta de forma tão milagrosa e fascinante para as pessoas à sua volta.*
>
> FRIEDRICH NIETZSCHE, 1844-1900

AS CHAVES DO PODER

Na infância, começamos nossa vida com grande exuberância, esperando e exigindo tudo do mundo. Isto em geral se transporta para nossas primeiras incursões pela sociedade, quando iniciamos nossas carreiras. Mas com a idade as rejeições e os fracassos que experimentamos estabelecem limites que se tornam cada vez mais firmes com o tempo. Esperando menos do mundo, aceitamos limitações que na realidade somos nós que nos impomos. Começamos a fazer mesuras e a nos desculpar até pelas solicitações mais simples. A solução para tamanha restrição de horizontes é nos forçarmos deliberadamente a tomar a direção oposta – minimizar os fracassos e ignorar as limitações, exigir e esperar como quando éramos crianças. Para isso é necessário aplicar a nós mesmos uma estratégia. Chame-a de Estratégia da Coroa.

A Estratégia da Coroa se baseia num simples encadear de causas e efeitos: se acreditarmos que estamos destinados a grandes coisas, nossa crença se irradiará, assim como a coroa cria uma aura em torno do rei. Esta irradiação contagiará as pessoas que nos cercam, que pensarão que devemos ter algum motivo para estarmos tão confiantes.

AS 48 LEIS DO PODER

Ao longo de toda a história, as pessoas de origem plebeia – as Teodora de Bizâncio, os Colombo, os Beethoven, os Disraeli – conseguiram fazer funcionar a Estratégia da Coroa, acreditando com tamanha firmeza na sua própria grandeza que ela se realizou. O truque é simples: deixe-se dominar pela autoconfiança. Mesmo sabendo estar de certa forma se iludindo, aja como um rei. Provavelmente será tratado como tal.

A coroa pode distingui-lo das outras pessoas, mas depende de você tornar essa distinção real: você tem que agir de modo diferente, mostrar a sua distância dos outros. Uma forma de enfatizar a sua diferença é agir sempre com dignidade, não importam as circunstâncias.

Não se deve confundir atitude de rei com arrogância. A arrogância pode parecer um direito do rei, mas na verdade trai insegurança. É o oposto de um comportamento aristocrático.

A dignidade, de fato, é invariavelmente a máscara que se deve assumir em circunstâncias difíceis; é como se nada pudesse afetar você, e você tem todo o tempo do mundo para responder. É uma atitude extremamente poderosa.

Um comportamento aristocrático tem outras utilidades. Os farsantes há muito

Não perca jamais o respeito por si próprio, nem fique muito à vontade consigo mesmo quando estiver sozinho. Deixe que a sua integridade seja o seu próprio modelo de retidão e confie mais na severidade do seu próprio julgamento do que em todos os preceitos externos. Abandone a conduta indecorosa, mais pelo respeito à sua própria virtude do que à censura da autoridade externa. Respeite-se e não precisará do tutor imaginário de Sêneca.

BALTASAR
GRACIÁN,
1601-1658

sabem o quanto vale uma fachada aristocrática; ela desarma as pessoas e as faz menos desconfiadas, ou então as intimida e as coloca na defensiva – e como o conde Victor Lustig sabia, uma vez na defensiva o otário estava perdido. O trambiqueiro "Yellow Kid Weil" também costumava assumir a aparência de homem de posses, junto com um certo ar de indiferença que combina tão bem com eles. Aludindo a algum método mágico de fazer dinheiro, ele se mantinha distante, como um rei, transpirando confiança como se fosse mesmo fabulosamente rico. Os otários imploravam para entrar na farsa, para ter uma chance de participar da riqueza que ele tão claramente exibia.

Finalmente, para reforçar os truques psicológicos secretos envolvidos na projeção de um comportamento aristocrático, existem as estratégias externas que ajudam você a criar esse efeito. Primeiro, a Estratégia de Colombo: exija sempre com ousadia. Coloque o seu preço bem alto e não ceda. Segundo, com dignidade, procure a pessoa no andar mais alto do prédio. Isto colocará você imediatamente no mesmo plano do principal executivo que você está atacando. É a Estratégia de Davi e Golias: ao escolher um grande adversário, você cria a aparência de grandeza.

Terceiro, presenteie de alguma forma os que estão acima de você. Esta é a estratégia dos que têm um patrono: ao dar ao patrono um presente, você está basicamente dizendo que vocês dois são iguais. Lembre-se: é você que define o seu próprio preço. Peça menos e é isso que conseguirá. Peça mais e estará sinalizando que vale uma fortuna. Mesmo aqueles que lhe viram as costas o respeitam por sua autoconfiança e você nem imagina como esse respeito acabará se revelando compensador.

Imagem: A Coroa. Coloque-a sobre a cabeça e adote uma atitude diferente – uma autoconfiança tranquila, porém irradiante. Não revele dúvidas, não perca a sua dignidade sob a coroa ou ela não lhe caberá. Parecerá destinada a alguém mais merecedor. Não espere ser coroado, os grandes imperadores coroaram a si próprios.

Autoridade: Todos devem agir com realeza a seu próprio modo. Que todas as suas ações, mesmo não sendo as de um rei, sejam, na sua própria esfera, merecedoras de um deles. Seja sublime nas suas ações, distante nos seus pensamentos; e em tudo que fizer mostre que merece ser rei, mesmo não o sendo de verdade (Baltasar Gracián, 1601-1658).

LEI 35

DOMINE A ARTE DE SABER O TEMPO CERTO

JULGAMENTO
Jamais demonstre estar com pressa – a pressa trai a falta de controle de si mesmo e do tempo. Mostre-se sempre paciente, como se soubesse que tudo acabará chegando até você. Torne-se um detetive do momento certo; fareje o espírito dos tempos, as tendências que o levarão ao poder. Aprenda a esperar quando ainda não é hora, e atacar ferozmente quando for propício.

O sultão [da Pérsia] havia condenado à morte dois homens. Um deles, sabendo o quanto o sultão apreciava o seu garanhão, ofereceu-se para ensiná-lo a voar em um ano, em troca da sua vida. O sultão, imaginando-se como o único cavaleiro de um cavalo voador do mundo, concordou. O outro prisioneiro olhou para o amigo sem acreditar. "Você sabe que cavalos não voam. Que ideia louca foi essa? Você só está adiando o inevitável." "Não tanto", disse o [primeiro prisioneiro]. "Na verdade, eu me dei quatro chances de liberdade. Primeiro, o sultão talvez morra neste ano. Segundo, talvez eu morra.

AS CHAVES DO PODER
Tempo é um conceito artificial que nós mesmos criamos para tornar a infinitude da eternidade e do universo mais suportável, mais humana. Visto que inventamos o conceito de tempo, somos também capazes de moldá-lo de certa forma, de fazer truques com ele. O tempo de uma criança é longo, lento e muito vasto; o tempo de um adulto passa zunindo, assustadoramente rápido. O tempo, portanto, depende da percepção, que, nós sabemos, pode ser alterada intencionalmente. Esta é a primeira coisa que temos de compreender para dominar a arte de escolher o momento certo. São três os tipos de tempo com os quais temos que lidar: cada um deles traz problemas que podem ser solucionados com habilidade e prática. Primeiro, existe o *tempo longo*; o tempo que se arrasta, por anos, e que deve ser administrado com calma e paciência. Devemos lidar com o tempo longo de preferência na defensiva – esta é a arte de não agir impulsivamente, de esperar a oportunidade certa. Em seguida, tem o *tempo forçado*: o tempo curto que podemos manipular como uma arma ofensiva, perturbando a noção de tempo dos adversários. Finalmente, o *tempo final*, quando um plano tem que ser executado com força e rapidez. Nós esperamos, o momento é este e não devemos hesitar.

AS 48 LEIS DO PODER

Tempo Longo. Quando você se apressa por medo ou impaciência, cria uma série de problemas que exigem conserto e acaba levando muito mais tempo do que se tivesse ido com calma. Os apressados podem ocasionalmente chegar mais rápido, mas os papéis se espalham voando por todos os cantos, novos perigos surgem e eles se veem em constantes crises, consertando problemas criados por eles mesmos. Às vezes, não agir diante do perigo é a melhor coisa a fazer – você espera, deliberadamente se acalma. Com o passar do tempo, acabam se apresentando oportunidades que você nem imaginou serem possíveis.

Você não retarda o tempo para viver mais ou para sentir mais prazer naquele momento, mas para jogar melhor o jogo do poder. Primeiro, se a sua mente não está embaralhada por constantes emergências, você vê mais longe no futuro. Segundo, você será capaz de resistir às iscas que as pessoas acenam na sua frente e não se permitirá ser mais um tolo impaciente. Terceiro, você terá mais espaço para ser flexível. As oportunidades inesperadas, que você teria perdido forçando o passo, surgirão inevitavelmente. Quarto, você não passa de um negócio a outro sem antes completar o primeiro. Construir as bases do seu poder pode levar anos; certifique-se de que elas sejam firmes.

Terceiro, o cavalo talvez morra. E quarto... quem sabe eu ensino o cavalo a voar!"
A ARTE DO PODER, R. G. H. SIU, 1979

Não seja fogo de palha – o sucesso conquistado com calma e segurança é o único que perdura.

Tempo Forçado. Aqui o truque é perturbar o senso de oportunidade dos outros – fazê-los correr, fazê-los esperar, fazê-los desistir do próprio ritmo, distorcer a sua percepção de tempo. Perturbando a noção de tempo do seu adversário enquanto você permanece paciente, você conquista um tempo para si mesmo, o que é metade do jogo.

Fazer os outros esperar é um jeito ótimo de forçar o tempo, desde que não descubram o que você está pretendendo. Você controla o relógio, eles ficam no limbo – e rapidamente se desconcertam, abrindo oportunidades para você atacar. O efeito oposto é igualmente eficaz: você faz os seus adversários se apressarem. Inicie as negociações lentamente, depois de repente pressione, fazendo-os sentir que tudo está acontecendo de uma só vez. Quem não tem tempo para pensar cometerá erros – portanto, defina por eles os prazos finais.

Tempo Final. Você pode ter o maior talento para o jogo – esperar pacientemente pelo momento certo de agir, tirar o adversário de forma, confundindo o tempo dele –, mas isso não vai adiantar nada se não souber terminar. Não seja como essas pessoas que parecem modelos de paciência, mas na verdade só estão com medo de encerrar as coisas: a paciência é inútil se não estiver combinada com uma disposição para atacar sem piedade o seu adversário no momento certo. Você pode esperar o tempo que for necessário para chegar à conclusão, mas, quando chegar, ela deve ser rápida. Use a velocidade para paralisar o seu adversário.

Espaço nós recuperamos; o tempo, jamais.
NAPOLEÃO, 1769-1821

Imagem: O Falcão. Paciente e em silêncio, ele dá voltas no céu, lá em cima, tudo acompanhado com sua poderosa visão. Quem está embaixo não percebe que está sendo seguido. De repente, no momento certo, o falcão ataca violentamente, com uma rapidez contra a qual não há defesa. Antes que a presa perceba, as garras da ave já a transportaram para o céu.

Autoridade: Existe uma maré nos assuntos humanos, / Que, aproveitando-se o fluxo, leva à fortuna; / Omitida, toda a viagem de suas vidas / Está destinada a dar em bancos de areia e misérias (*Júlio César*, William Shakespeare, 1564-1616).

LEI 36

DESPREZE O QUE NÃO PUDER TER: IGNORAR É A MELHOR VINGANÇA

JULGAMENTO

Reconhecendo um problema banal, você lhe dá existência e credibilidade. Quanto mais atenção der a um inimigo, mais forte você o torna; e um pequeno erro às vezes se torna pior e mais visível se você tentar consertá-lo. Às vezes, é melhor deixar as coisas como estão. Se existe algo que você quer, mas não pode ter, mostre desprezo. Quanto menos interesse você revelar, mais superior vai parecer.

AS CHAVES DO PODER

O desejo costuma criar efeitos paradoxais: quanto mais você quer alguma coisa, quanto mais corre atrás dessa coisa, mais ela se esquiva de você. Quanto mais interessado você se mostra, mais afasta o objeto do seu desejo. Isto porque o seu interesse é muito forte – faz as pessoas se sentirem estranhas, até com medo. O desejo incontrolável faz você parecer fraco, indigno, patético.

Você tem que virar as costas para o que quer, mostrar o seu desprezo e desdém. Esta é a reação que vai deixar os seus alvos enlouquecidos. Eles reagirão com um desejo deles, que é simplesmente o de afetar você – talvez possuir você, talvez magoá-lo. Se quiserem possuí-lo, você completou com sucesso a primeira etapa da sedução. Se quiserem magoá-lo, você os perturbou e os fez jogar de acordo com as suas regras.

Desprezo é prerrogativa dos reis. Para onde o seu olhar se volta, aquilo que ele decide ver é que é real; o que ele ignora e dá as costas morreu. Essa era a arma do rei Luís XIV – se ele não gostasse de você, agia como se você não estivesse ali, mantendo-se superior, cortando qualquer dinâmica de interação. Este é o poder que você tem quando joga com o desprezo, mostrando periodicamente que pode passar sem eles.

Certa vez, quando as opiniões de G. K. Chesterton sobre economia foram criticadas na imprensa por George Bernard Shaw, seus amigos esperaram em vão que ele reagisse. O historiador Hilaire Belloc o repreendeu: "Meu caro Belloc", disse Chesterton, "eu lhe respondi. Para um homem com a inteligência de Shaw, o silêncio é a única réplica insuportável."

THE LITTLE,
BROWN BOOK
OF ANECDOTES,
CLIFTON FADIMAN,
ED., 1985

E, quanto a isso, é aconselhável que todos que o conheçam – homem ou mulher – sintam que, ocasionalmente, você pode muito bem dispensar a sua companhia. Serve para reforçar a amizade. E não só isso, com a maioria das pessoas não fará mal, de vez em quando, acrescentar um toque de desdém ao tratar com elas; a sua amizade ficará ainda mais valorizada. Chi non stima vien stimato, *como diz um sutil provérbio italiano – menosprezar é conquistar o apreço. Mas se temos uma pessoa em altíssimo conceito, devemos ocultar-lhe isso como um crime. Não é algo muito gratificante de se*

Se ao escolher ignorar você aumenta o seu poder, consequentemente a abordagem oposta – o compromisso e o envolvimento – quase sempre o enfraquece. Prestando excessiva atenção a um inimigo insignificante, *você* fica parecendo insignificante, e, quanto mais tempo você levar para esmagar esse inimigo, maior ele parecerá.

Um segundo perigo: se você consegue esmagar o irritante, ou mesmo se apenas o ferir, desperta simpatia pelo lado mais fraco.

É tentador querer consertar nossos erros, mas quanto maior a emenda, pior o soneto. Às vezes é melhor deixar as coisas como estão.

Em vez de inadvertidamente chamar atenção para um problema, fazendo-o parecer pior ao tornar público o quanto ele o está deixando preocupado e ansioso, quase sempre é melhor bancar o aristocrata desdenhoso, que não se digna reconhecer a existência do problema. Existem várias maneiras de colocar em prática essa estratégia.

Primeira, temos a abordagem das uvas que estão verdes. Se existe algo que você quer, mas sabe que não poderá ter, a pior coisa que pode fazer é chamar atenção, queixando-se da sua frustração. Uma tática muito mais eficiente é agir como se nunca tivesse tido interesse por essa coisa.

Segunda, se você é atacado por um inferior, desvie a atenção das pessoas deixando claro que o ataque não foi nem mesmo registrado. Olhe para o outro lado, ou responda gentilmente, mostrando que o ataque não tem nada a ver com você. Da mesma forma, se você é quem cometeu um engano, a melhor reação quase sempre é minimizar o seu erro, tratando-o com leveza. Lembre-se: as melhores reações a ninharias, pequenos aborrecimentos e irritações são o desprezo e o desdém. Jamais mostre que alguma coisa o incomodou, ou que você está ofendido – isso só mostra que você reconheceu a existência de um problema. O desprezo é um prato que é melhor servir frio e sem afetações.

fazer, mas é o correto. Pois se um cão não suporta ser tratado com excessiva bondade, imagine um homem!

ARTHUR SCHOPENHAUER, 1788-1860

Imagem:
A Minúscula
Ferida.
É pequena, mas
dói e irrita. Você
tenta todos os tipos de
remédio, você se quei-
xa, coça e tira a casca. Os
médicos só a tornam pior,
transformando a feridinha num
assunto gravíssimo. Seria melhor
se apenas você a tivesse deixa-
do em paz, esperando que ela saras-
se com o tempo sem se preocupar tanto.

Autoridade: Saiba jogar com o desprezo. É a vingança mais política que existe. Pois há muita gente de cuja existência nem saberíamos se os seus distintos adversários as tivessem ignorado. A melhor vingança é o esquecimento, pois é o sepultamento do desprezível na poeira da sua própria insignificância (Baltasar Gracián, 1601-1658).

LEI

37

CRIE ESPETÁCULOS ATRAENTES

JULGAMENTO
Imagens surpreendentes e grandes gestos simbólicos criam uma aura de poder – todos reagem a eles. Encene espetáculos para os que o cercam, repletos de elementos visuais interessantes e símbolos radiantes que realcem a sua presença. Deslumbrados com as aparências, ninguém notará o que você realmente está fazendo.

> *Pela luz que irradia para as outras estrelas, que compõem à sua volta uma espécie de corte, pela justa e equitativa distribuição de seus raios a todos igualmente, pelo bem que leva a todas as partes, produzindo vida, alegria e ação, pela sua constância da qual jamais varia, escolho o sol como a imagem mais magnífica para representar um grande líder.*
>
> Luís XIV, o Rei Sol, 1638-1715

AS CHAVES DO PODER

Defender-se com palavras é um negócio arriscado; elas são instrumentos perigosos e podem se perder pelo caminho. As palavras que as pessoas usam para nos convencer virtualmente nos convidam a refletir sobre elas com as nossas próprias palavras. Ficamos cismando e acabamos acreditando no contrário do que dizem. (Faz parte da nossa natureza perversa.) Acontece também que as palavras nos ofendem, despertam associações não pretendidas por quem as pronunciou.

O visual, por outro lado, encurta o caminho nesse labirinto de palavras. Ele ataca com um poder emocional e um imediatismo que não dá espaço para reflexões e dúvidas. Como a música, ele passa por cima do pensamento racional, sensato.

Compreenda: as palavras colocam você na defensiva. Se você precisa se explicar, o seu poder já foi colocado em dúvida. A imagem, por outro lado, se impõe como um dom. Ela desencoraja perguntas, cria associações convincentes, resiste a interpretações não desejadas, comunica instantaneamente e forja vínculos que transcendem as diferenças sociais. As palavras geram discussões e divisões; as imagens unem as pessoas. Elas são os instrumentos quintessenciais do poder.

AS 48 LEIS DO PODER

O símbolo tem o mesmo poder, seja ele visual ou uma descrição verbal de algo visual (as palavras "Rei Sol"). O objeto simbólico representa outra coisa, algo abstrato. O conceito abstrato – pureza, patriotismo, coragem, amor – está repleto de associações emocionais e poderosas. O símbolo é uma forma de expressão mais rápida, contendo dezenas de significados numa única frase ou objeto.

O primeiro passo quando se usa símbolos e imagens é compreender a predominância da visão sobre os outros sentidos. Antes do Renascimento, dizem, a visão e os outros sentidos – como o paladar e o tato, por exemplo – operavam num plano relativamente igual. Desde aquela época, entretanto, a visão se tornou dominante e é o sentido de que mais dependemos e no qual mais confiamos. Como disse Gracián, "A vida é geralmente vista, raramente ouvida". Ao ser capturado como escravo pelos mouros, o pintor renascentista Fra Filippo Lippi reconquistou a liberdade desenhando o seu dono numa parede branca com um pedaço de carvão. Quando o dono viu o desenho, entendeu na mesma hora o poder de um homem que era capaz de fazer tais imagens e libertou Fra Lippi. Uma única imagem foi muito mais eficaz

Era uma vez um homem chamado Sakamotoya Hechigwan que vivia no alto Kioto. (...) Quando [o imperador] Hideyoshi realizou o seu grande Cha-no-yu [cerimônia do chá] em Kitano, no décimo mês de 1588, Hechigwan armou um grande guarda-sol com quase três metros de diâmetro sobre uma haste com dois metros de altura. Em torno do cabo ele fez uma cerca de junco com aproximadamente sessenta centímetros, de tal forma que os raios do sol ali se refletiam, difundindo ao redor as cores do guarda-chuva. Hideyoshi gostou tanto que recompensou Hechigwan com a

LEI 37 | *205*

isenção do pagamento de impostos.
CHA-NO-YU: THE JAPANESE TEA CEREMONY, A. L. SADLER, 1933

do que qualquer argumento que o pintor pudesse apresentar com palavras.

Não negligencie a sua maneira de apresentar as coisas visualmente. Fatores como cor, por exemplo, têm uma enorme ressonância simbólica. Quando o trapaceiro "Yellow Kid Weil" criou um boletim com informações secretas sobre as ações falsas que ele estava vendendo, ele o chamou de "Red Letter Newsletter" e mandou imprimi-lo em letras vermelhas a um custo considerável. A cor criou uma ideia de urgência, poder e sorte. Weil sabia que esses detalhes eram os elementos-chave de uma fraude – como sabem os publicitários e marqueteiros modernos. Se você usar a palavra "ouro" no título de alguma coisa que estiver vendendo, por exemplo, imprima-a em letras douradas. Como o olhar predomina, as pessoas reagirão mais à cor do que à palavra.

O imperador romano Constantino passou quase que a vida inteira adorando o sol como um deus. Mas, um dia, ele olhou para o sol e viu sobreposta uma cruz. A visão da cruz sobre o sol lhe mostrou a ascendência de uma nova religião, e logo em seguida ele não só se converteu ao cristianismo como levou todo o Império Romano a fazer o mesmo. Todas as pregações e todo o proselitismo no mundo não teriam tido tamanha eficácia. Encontre e associe a eles imagens e símbolos que comuniquem assim imediatamente hoje e você terá um poder incalculável.

Mais eficaz do que tudo é uma nova combinação – uma fusão de imagens e símbolos que ainda não tenham sido vistos juntos, mas cuja associação demonstre claramente a sua nova ideia, mensagem, religião. A criação de novas imagens e símbolos a partir de outros antigos tem um efeito poético – as associações do espectador se excitam, dando-lhe a sensação de estar participando.

Use o poder dos símbolos como uma forma de cerrar fileiras, animar e unir as suas tropas ou equipe. Durante a rebelião contra a coroa francesa, em 1648, aqueles que permaneceram fiéis ao rei subestimaram os rebeldes comparando-os aos estilingues (em francês, *frondes*) que os garotinhos usam para assustar os grandalhões. O cardeal de Retz decidiu transformar este termo depreciativo no símbolo dos rebeldes: a rebelião hoje é conhecida como a *fronde*, e os rebeldes, como *frondeurs*. Eles começaram usando faixas nos chapéus simbolizando o estilingue, e a palavra se tornou o seu grito de combate. Sem ele, a rebelião poderia muito bem ter perdido aos poucos a sua força. Encontre sempre um símbolo para representar a sua causa – quanto mais emocionais as associações, melhor. A melhor maneira de usar imagens e símbolos é organizá-los como um grande espetáculo que assombre as pessoas e as distraia das realidades desagradáveis. Isso é fácil de fazer: elas gostam do que é grandioso, espetacular e sobrenatural. Apele para as suas emoções e elas comparecerão em massa ao seu espetáculo. O visual é o caminho mais fácil para seus corações.

> Imagem:
> A Cruz e o Sol. Crucificação e total radiação. Com uma sobreposta ao outro, a nova realidade toma forma – um novo poder ascende. O símbolo – não é preciso explicar nada.

Autoridade: As pessoas se impressionam sempre com a aparência superficial das coisas... O [príncipe] deve, em épocas adequadas do ano, manter o povo ocupado e distraído com festividades e espetáculos (Nicolau Maquiavel, 1469-1527).

LEI
38

PENSE COMO QUISER, MAS COMPORTE-SE COMO OS OUTROS

JULGAMENTO
Se você alardear que é contrário às tendências da época, ostentando suas idéias pouco convencionais e modos não ortodoxos, as pessoas vão achar que está apenas querendo chamar atenção e se julga superior. Acharão um jeito de punir você por fazê-las se sentir inferiores. É muito mais seguro juntar-se a elas e desenvolver um toque comum. Compartilhe a sua originalidade só com os amigos tolerantes e com aqueles que certamente apreciarão a sua singularidade.

O CIDADÃO E O
VIAJANTE

*"Olhe em volta",
disse o cidadão.
"Este é o maior
mercado do
mundo." "Oh,
certamente que
não", disse o
viajante. "Bem,
talvez não o
maior", disse o
cidadão, "mas o
melhor." "Você
deve estar
enganado", disse
o viajante. "Eu
lhe digo..."
Enterraram o
estrangeiro ao
cair da noite.*

FÁBULAS,
ROBERT LOUIS
STEVENSON,
1850-1894

AS CHAVES DO PODER

Todos nós mentimos e escondemos nossos verdadeiros sentimentos, pois a total liberdade de expressão é uma impossibilidade social. Desde cedo aprendemos a dissimular nossos pensamentos, dizendo aos irritadiços e inseguros o que nós queremos que eles ouçam, prestando atenção para não ofendê-los. Para a maioria de nós isto é natural – existem ideias e valores aceitos pela maioria e é inútil discutir. Acreditamos no que queremos acreditar, portanto, mas externamente usamos uma máscara.

Não obstante, há quem veja essas restrições como uma violação intolerável da sua liberdade e precisa provar a superioridade de seus valores e crenças. No final, entretanto, seus argumentos convencem apenas a uns poucos e ofendem a muitos mais. Eles não funcionam porque a maioria das pessoas conserva seus valores e ideias sem pensar neles. Existe um forte conteúdo emocional nessas crenças: as pessoas realmente não querem mudar a sua maneira de pensar, e se você as desafia, seja diretamente com seus argumentos ou indiretamente com seu comportamento, elas se tornam hostis.

Pessoas sábias e inteligentes aprendem cedo que podem exibir comportamentos e ideias convencionais sem ter de acreditar neles. O poder que essas pessoas obtêm misturando-se aos outros é o de ficar à vontade para pensar o que elas quiserem e dizer o que pensam a quem elas querem dizer, sem sofrer isolamento ou ostracismo. Depois de estabelecidas numa posição de poder, elas podem tentar convencer um círculo mais amplo de que suas ideias estão certas – trabalhando também indiretamente, usando como estratégia a ironia e a insinuação.

Não cometa a tolice de imaginar que na época em que você está vivendo não existem mais as velhas ortodoxias. Jonas Salk, por exemplo, achava que a ciência tinha ultrapassado a política e o protocolo. E assim, pesquisando a vacina para a poliomielite, ele quebrou todas as regras – publicou uma descoberta antes de mostrá-la à comunidade científica, assumiu o crédito pela vacina sem reconhecer a participação de cientistas que lhe abriram o caminho, fez de si mesmo uma estrela. O público pode ter adorado, mas os cientistas o evitaram. O seu desrespeito pelas ortodoxias da sua comunidade o deixaram isolado e ele passou anos tentando fechar essa brecha, lutando para conseguir patrocínios e cooperação.

Não só as pessoas com poder evitam as ofensas dos Pausânias e dos Salk, como elas também aprendem o papel da raposa esperta e fingem traços em comum. Esta

Se Maquiavel tivesse tido um príncipe como discípulo, a primeira coisa que teria lhe recomendado era escrever um livro contra o maquiavelismo.

VOLTAIRE, 1694-1778

tem sido a manobra de trambiqueiros e políticos no decorrer dos séculos. Líderes como Júlio César e Franklin D. Roosevelt contiveram suas atitudes aristocráticas naturais para cultivar a familiaridade com o homem comum. Essa familiaridade eles expressam em pequenos gestos, quase sempre simbólicos, para mostrar ao povo que seus líderes compartilham de valores populares, apesar da sua diferença de status.
A extensão lógica desta prática é a inestimável capacidade de ser tudo para todos. Ao entrar para a sociedade, deixe para trás suas próprias ideias e valores e vista a máscara mais adequada ao grupo em que você se encontra. Bismarck fez esse jogo com muito sucesso durante anos – havia quem compreendesse vagamente o que ele pretendia, mas não com clareza suficiente a importância disso. As pessoas engolem a isca porque se sentem envaidecidas, achando que você pensa do mesmo modo que elas. Não irão considerá-lo um hipócrita se você tiver cuidado – como podem acusá-lo de hipocrisia se você não as deixa saber exatamente de que lado está? Nem elas acharão que você não tem valores. É claro que você tem valores – aqueles que você divide com elas, quando está em sua companhia.

Imagem: O rebanho evita a
A Ovelha   ovelha negra, sem saber se ela pertence ou não ao grupo. Por isso ela fica para trás, ou se extravia do rebanho, quando é encurralada por lobos e rapidamente devorada. Fique com o rebanho – há segurança na multidão. Reserve as suas diferenças para os seus pensamentos, não para a sua pele.

Autoridade: Não deis aos cães o que é sagrado, não atireis vossas pérolas aos porcos, não aconteça que eles as calquem aos pés e, virando-se, vos estraçalhem (Jesus Cristo, em Mateus 7:6).

LEI 39

AGITE AS ÁGUAS PARA ATRAIR OS PEIXES

JULGAMENTO
Raiva e reações emocionais são contraprodutivas do ponto de vista estratégico. Você precisa se manter sempre calmo e objetivo. Mas, se conseguir irritar o inimigo sem perder a calma, você ganha uma inegável vantagem. Desequilibre o inimigo: descubra uma brecha na sua vaidade para confundi-lo e é você quem fica no comando.

AS CHAVES DO PODER

As pessoas zangadas em geral ficam ridículas, porque a sua reação parece desproporcionada. Elas levaram as coisas muito a sério, exagerando a mágoa ou o insulto que sofreram. São tão sensíveis às desfeitas que é engraçado ver como levam tudo para o lado pessoal. Ainda mais cômico é que elas acham que as suas explosões denotam poder. A verdade é exatamente o contrário: petulância não é poder, é sinal de impotência. As pessoas podem se sentir intimidadas durante um certo tempo com seus acessos de raiva, mas acabam perdendo o respeito por você. Percebem também que é fácil abalar alguém tão descontrolado.

Mas a solução não é reprimir as reações de raiva ou emocionais. A repressão nos tira a energia e nos força a ter comportamentos estranhos. Temos é que ver as coisas de outra maneira: temos de perceber que nada na esfera social, e no jogo do poder, é pessoal.

Todo mundo está preso a uma cadeia de acontecimentos que vem de muito longe. Nossa raiva quase sempre vem de problemas na nossa infância, de problemas que nossos pais, por sua vez, tiveram na infância deles, e assim por diante. Nossa raiva também é proveniente de nossas muitas interações com outras pessoas,

Se possível, não se deve tratar ninguém com animosidade. (...) Dirigir-se a uma pessoa com raiva, mostrar o ódio com palavras ou expressões faciais é uma atitude desnecessária – perigosa, tola, ridícula e vulgar. Raiva e ódio não se devem revelar senão no que se faz; e os sentimentos serão muito mais eficazes na ação desde que se evite exibi-los de qualquer outra maneira. Só os animais de sangue frio têm a mordida venenosa.
ARTHUR SCHOPENHAUER, 1788-1860

SUMO SACERDOTE DA VALA

Kin'yo, oficial de segunda categoria, tinha um irmão chamado Sumo Sacerdote Ryogaku, homem extremamente mal-humorado. Ao lado do seu mosteiro crescia um enorme pé de urtiga, origem do apelido que o povo lhe dera, Sumo Sacerdote da Urtiga. "Esse nome é um insulto", disse o Sumo Sacerdote, e cortou a árvore. O toco ficou ali e as pessoas começaram a chamá-lo de Sumo Sacerdote do Toco. Mais furioso do que nunca, Ryogaku mandou arrancar fora o toco, mas no lugar ficou uma grande vala. As pessoas agora

de decepções e tristezas acumuladas. Parece que um determinado indivíduo é o responsável pela raiva que estamos sentindo, mas as coisas são mais complicadas, não é só aquilo que ele nos fez. Se alguém explode de raiva com você (e isso parece desproporcional com o que você lhe fez), lembre-se de que a explosão não se dirige exclusivamente a você – não seja tão vaidoso. A causa é muito maior, está lá no passado, envolve dezenas de mágoas anteriores e, na verdade, nem vale a pena tentar compreender. Em vez de considerar isso como um rancor pessoal, pense como sendo uma atitude de poder disfarçada, uma tentativa de controlar ou punir você escondida por baixo de sentimentos de mágoa e raiva.

Esta mudança de perspectiva permitirá que você faça o jogo do poder com mais clareza e energia. Em vez de reagir exageradamente, e se envolver nas emoções das pessoas, você tira proveito do descontrole delas.

Durante uma importante batalha na Guerra dos Três Reinos, no século 3 d.C., os conselheiros do comandante Ts'ao Ts'ao descobriram documentos que provavam que alguns generais tinham se aliado ao inimigo para tramar uma conspiração, e insistiram para que esses homens fossem presos e executados. Mas Ts'ao Ts'ao mandou queimar os documentos e esquecer o assunto. Naquele momento crítico da batalha, ficar aborrecido ou exigir justiça repercutiria mal para ele: uma atitude tempestuosa chamaria atenção para a deslealdade dos generais, o que seria prejudicial para o moral das tropas. A justiça podia aguardar – ele trataria dos generais quando chegasse a hora. Ts'ao Ts'ao manteve a sua cabeça no lugar e tomou a decisão certa.

A raiva só reduz as suas opções e o poderoso não avança sem opções. Uma vez aprendendo a não levar as coisas para o lado pessoal, e a controlar suas reações emocionais, você terá se colocado numa posição de enorme poder: agora você pode jogar com as reações emocionais dos outros. Provoque o inseguro desconfiando da sua masculinidade e acenando com a possibilidade de uma vitória fácil.

Diante de um inimigo com a cabeça quente, a melhor reação é não reagir. Siga a tática de Talleyrand: nada é mais irritante do que um homem que mantém a calma enquanto os outros a perdem. Se é vantagem para você perturbar as pessoas, adote uma pose aristocrática, entediada, sem ridicularizar nem se mostrar triunfante, mas simplesmente indiferente. Vão ficar irritadíssimas. Enquanto elas enfiam os pés pelas mãos num acesso de raiva, você terá obtido várias vitórias, e uma delas é a

o chamam de Sumo Sacerdote da Vala.

ENSAIOS SOBRE O ÓCIO, KENKO, JAPÃO, SÉCULO XIV

de ter conservado a sua dignidade e a sua compostura diante de uma atitude tão infantil.

Imagem: O Tanque de Peixes. A água está límpida, tranquila e os peixes nadam no fundo. Agite-a e eles aparecem. Agite-as ainda mais e eles ficam zangados, vêm à tona, abocanhando o que estiver na frente – inclusive o anzol com a isca fresca.

Autoridade: Se o seu adversário tem um temperamento irado, procure irritá-lo. Se é arrogante, tente encorajar o seu egoísmo... O especialista em fazer o inimigo agir cria a situação adequada, atrai o inimigo com algo que certamente ele pegará. Ele mantém o inimigo em movimento segurando a isca, e depois o ataca com tropas seletas (Sun-tzu, século IV a.C.).

LEI 40

DESPREZE O QUE VIER DE GRAÇA

JULGAMENTO

O que é oferecido de graça é perigoso – em geral é um ardil ou tem ali uma obrigação oculta. Se tem valor, vale a pena pagar. Pagando, você se livra de problemas de gratidão e culpa. Também é prudente pagar o valor integral – com a excelência não se economiza. Seja pródigo com seu dinheiro e o mantenha circulando, pois a generosidade é um sinal e um ímã para o poder.

O SOVINA

O sovina, querendo proteger seu patrimônio, vendeu tudo que tinha, transformou numa barra de ouro, escondeu num buraco no chão e ia sempre lá ver como estava. Isto despertou a curiosidade de um dos seus operários que, desconfiando haver ali um tesouro, assim que o patrão virou as costas foi até lá e roubou a barra. Quando o sovina voltou e viu o buraco vazio, chorou e arrancou os cabelos. Mas um vizinho, assistindo a essa extravagante tristeza e sabendo o motivo, disse: "Não te angusties mais, pega uma pedra e coloca-a no mesmo lugar, e pensa que é a tua barra de ouro;

DINHEIRO E PODER

Quando se trata de poder, tudo deve ser julgado pelo seu custo e tudo tem um preço. O que se oferece de graça, ou a preço de banana, quase sempre vem com uma etiqueta de preço psicológica – sentimentos complicados de gratidão, concessões na qualidade, a insegurança originada por essas concessões e outras coisas mais. Os poderosos aprendem desde cedo a proteger o que têm de mais precioso: independência e espaço de manobra. Pagando o preço real, eles se livram de envolvimentos arriscados e preocupações.

Estar aberto e flexível em questões de dinheiro também ensina o quanto vale a generosidade estratégica, uma variação do velho truque de "dar quando estiver prestes a tirar". Presenteando da forma adequada, você coloca o outro na situação de devedor. A generosidade amolece as pessoas – para serem enganadas. Conquistando fama de pródigo, você ganha a admiração das pessoas sem deixar que elas percebam o seu jogo de poder.

Para cada um que sabe jogar com o dinheiro, milhares de outros fecham-se numa recusa suicida de usá-lo com estratégia e criatividade. Estes são o extremo oposto do poderoso e você deve aprender a reconhecê-los – seja para evitar sua natureza venenosa ou para tirar proveito da sua falta de flexibilidade.

O Peixe Voraz. A pessoa excessivamente ambiciosa não vê o aspecto humano do dinheiro. Insensível e cruel, ela só vê o frio balancete; considerando os outros apenas como peões ou obstáculos na sua busca de riqueza, ela atropela os sentimentos alheios e afasta aliados valiosos. Ninguém quer saber de trabalhar com um Peixe Voraz e, com o passar dos anos, ele acaba sozinho, o que é a sua ruína. Eles também são fáceis de enganar: simplesmente use a isca do dinheiro fácil e eles engolem anzol, linha e chumbada. Evite-os antes que eles o explorem, ou então tire vantagem da ganância deles.

pois, como não pretendias usá-la nunca, vai lhe servir tão bem quanto a outra." O valor do dinheiro não está na sua posse, mas no seu uso.

FÁBULAS, ESOPO, SÉCULO VI a.C.

O Demônio da Pechincha. Gente que tem poder avalia tudo pelo seu custo, não apenas em dinheiro, mas em tempo, dignidade e paz de espírito. E isto é exatamente o que o Demônio da Pechincha não consegue fazer. Desperdiçando um tempo precioso atrás de uma pechincha, ele está sempre pensando no que poderia achar por um preço mais em conta em outro lugar. Para culminar, o que ele acaba comprando quase sempre está em mau estado, talvez precise de um conserto que vai sair caro ou terá que ser substituído muito mais rápido do que um artigo de boa qualidade. Estes tipos parecem prejudicar

Existe um provérbio no Japão que diz "Tada yori takai mono wa nai", ou seja: "Nada custa mais caro do que aquilo que é dado de graça."
THE UNSPOKEN WAY, MICHIHIRO MATSUMOTO, 1988

apenas a si próprios, mas suas atitudes são contagiantes.

O Sádico. Sádicos financeiros fazem jogos perversos de poder com o dinheiro como uma forma de afirmar o seu poder. Eles podem, por exemplo, deixar você esperando por uma quantia que lhe é devida, jurando que o cheque já foi enviado. Ou se contratam você para trabalhar para eles, se metem em tudo, fazendo objeções e lhe dando úlceras. Os Sádicos parecem achar que o fato de estar pagando por alguma coisa lhes dá direito de torturar e agredir o vendedor. Eles não sentem o elemento bajulador no dinheiro. Se você tiver o azar de se ver envolvido com um tipo desses, aceitar uma perda financeira pode ser melhor, a longo prazo, do que se deixar enredar nos seus destrutivos jogos de poder.

O Doador sem Critério. A generosidade tem uma função clara no poder: atrai as pessoas, as amolece, as transforma em aliados. Mas tem de ser usada estrategicamente, com um objetivo definido. O Doador sem Critério, por sua vez, é generoso porque quer ser amado e admirado por todos. E a sua generosidade é tão pouco criteriosa e tão pobre que talvez não tenha o efeito desejado: se ele dá indiscriminadamente, por que a pessoa que recebe deve se sentir especial? Por maior que seja a tentação de dar um trambique num Doador sem Critério, qualquer envolvimento com este tipo lhe trará o peso adicional de suas carências emotivas insaciáveis.

Imagem: O Rio. Para se proteger ou salvar o seu patrimônio, você constrói um dique. Em breve, porém, as águas ficam lodosas e pestilentas. Só as formas mais repulsivas de vida conseguem viver nessas águas estagnadas; nada trafega sobre elas, todo o comércio fica interrompido. Destrua o dique. A água que flui e circula gera abundância, riqueza e poder em círculos cada vez maiores. O Rio deve causar inundações periodicamente para que boas coisas possam florescer.

ROBERT GREENE

Autoridade: O grande homem sovina é um grande tolo e para o homem que ocupa altos postos não há vício pior do que a avareza. O sovina não conquista terras nem domínios, pois não possui amigos suficientes a quem impor a sua vontade. Quem quiser ter amigos não deve se apegar às suas posses, mas conquistá-los com belos presentes, pois da mesma forma que o ímã atrai sutilmente o ferro, o ouro e a prata com os quais um homem presenteia atraem o coração dos outros homens (*The Romance of the Rose*, Guillaume de Lorris, *c*. 1200-1238).

LEI
41

EVITE SEGUIR AS PEGADAS DE UM GRANDE HOMEM

JULGAMENTO
O que acontece primeiro sempre parece melhor e mais original do que o que vem depois. Se você substituir um grande homem ou tiver um pai famoso, terá de fazer o dobro do que eles fizeram para brilhar mais do que eles. Não fique perdido na sombra deles ou preso a um passado que não foi obra sua: estabeleça o seu próprio nome e identidade mudando de curso. Mate o pai dominador, menospreze o seu legado e conquiste o poder com a sua própria luz.

A VANTAGEM DE SER O PRIMEIRO

Muitos teriam brilhado como a fênix em seus ofícios se outros não tivessem chegado antes. Ser o primeiro tem uma grande vantagem; com fama, duas vezes melhor. Dê você as cartas primeiro e ganhará no final... Quem chega antes ganha fama por direito de primogenitura, e quem vem depois são como os segundos filhos, que se contentam com míseras porções... Salomão optou sensatamente pelo pacifismo, deixando a guerra para o pai. Ao mudar de curso, foi mais fácil para ele se tornar um herói... E nosso grande Filipe II governou o mundo inteiro com prudência, surpreendendo as gerações. Se o seu pai invicto foi um modelo de energia, Filipe foi

AS CHAVES DO PODER

Em muitos reinos antigos, por exemplo Bengala e Sumatra, depois que o rei já estava no governo há vários anos, seus súditos o executavam. Isto era feito em parte como um ritual de renovação, mas também como uma forma de impedi-lo de ficar poderoso demais – pois o rei em geral tentaria estabelecer uma ordem permanente à custa de outras famílias e dos seus próprios filhos. Em vez de proteger a tribo e liderá-la em tempos de guerra, ele tentaria dominá-la. E assim ele era espancado até a morte ou executado num ritual elaborado. Depois que não estivesse mais ali para as homenagens lhe subirem à cabeça, ele podia ser adorado como um deus. Enquanto isso, o campo precisava ser limpo para uma ordem mais nova e jovial se estabelecer.

A atitude ambivalente, hostil, com relação à figura do rei ou pai também encontra expressão nas lendas dos heróis que não conhecem seus pais. Moisés, arquétipo do homem poderoso, foi encontrado abandonado entre os juncos e jamais soube quem eram seus pais; sem um pai para competir com ele ou limitar os seus passos, ele chegou ao auge do poder. Hércules não tinha um pai terreno – era filho do deus Zeus. No final da sua vida, Alexandre, o Grande, espalhou a história de que o deus Júpiter Amon é que o havia gerado, não Filipe da Macedônia. Lendas e rituais como estes eliminam a figura do pai porque ela simboliza o poder destrutivo do passado.

O passado impede o jovem herói de criar o seu próprio mundo – ele deve fazer o que o pai fez, mesmo quando ele já estiver morto ou impotente. O herói deve se inclinar servil diante do seu predecessor e se render à tradição e ao passado.

O poder depende da capacidade de preencher um vazio, de ocupar uma área que foi esvaziada do peso morto do passado. Só depois de a figura do pai ter sido devidamente suprimida pela força de vontade você terá o espaço necessário para criar e estabelecer uma nova ordem. Existem várias estratégias que você pode adotar para conseguir isso – variações da execução do rei que disfarçam a violência do impulso, canalizando-a em formas socialmente aceitáveis.

Talvez a maneira mais simples de fugir à sombra do passado seja simplesmente subestimá-lo, jogar com o eterno antagonismo entre as gerações, colocar o jovem contra o idoso. Para isso você precisa de uma figura mais velha conveniente para colocar no pelourinho.

O distanciamento entre você e o seu predecessor quase sempre exige um certo

um modelo de prudência. (...) Esta novidade tem ajudado os sensatos a conquistar o seu lugar no elenco dos grandes. Sem abandonar a própria arte, o criativo abandona o lugar-comum e dá, mesmo em ofícios velhos como o tempo, novos passos em direção à celebridade. Horácio cedeu a poesia épica a Virgílio, e Marcial, a lírica a Horácio. Terêncio optou pela comédia, Pérsio pela sátira, cada um esperando ser o primeiro no seu gênero. A ousadia na criatividade jamais sucumbiu à imitação fácil.

A POCKET MIRROR FOR HEROES, BALTASAR GRACIÁN, TRADUZIDO PARA O INGLÊS POR CHRISTOPHER MAURER, 1996 simbolismo, uma forma de se anunciar publicamente. Luís XIV, por exemplo, criou esse simbolismo ao rejeitar o palácio tradicional dos reis franceses e construir o seu em Versalhes. O rei Filipe II, da Espanha, fez o mesmo ao criar o seu centro de poder, o palácio El Escorial, no meio do nada. Mas Luís foi ainda mais longe: ele não queria ser um rei como seu pai ou os seus ancestrais tinham sido, não usaria uma coroa ou carregaria um cetro e se sentaria num trono, ele estabeleceria uma nova maneira de impor autoridade com seus próprios símbolos e rituais. E transformou os rituais dos seus ancestrais em relíquias ridículas do passado. Siga o seu exemplo: não deixe que o vejam seguindo os passos do seu predecessor. Senão você jamais o suplantará. Você deve demonstrar fisicamente a diferença entre os dois, estabelecendo estilo e simbolismo distintos.

Existe uma espécie de teimosia idiota recorrente ao longo da história e um forte empecilho ao poder: a superstição de que se uma pessoa já teve sucesso fazendo A, B e C, você pode recriar esse sucesso fazendo a mesma coisa. Esta abordagem de produção em massa, sem individualidade, seduz os pouco criativos, pois é fácil e apela para a timidez e a preguiça dessas pessoas. Mas as circunstâncias não se repetem exatamente da mesma maneira.

Você deve adotar esta impiedosa estratégia com o passado: queimar todos os livros e treinar para reagir às circunstâncias conforme elas forem surgindo.

Finalmente, a plenitude e a prosperidade tendem a nos tornar preguiçosos e inativos: quando o nosso poder está garantido, não temos necessidade de agir. Esse é o grave perigo, você deve estar preparado para voltar ao ponto inicial psicologicamente, em vez de engordar e ficar preguiçoso porque atingiu a prosperidade. Quantas vezes os nossos primeiros triunfos nos transformam numa espécie de caricaturas de nós mesmos? Os poderosos reconhecem essas armadilhas; como Alexandre, o Grande, eles lutam constantemente para se recriar. Não se deve permitir que o pai retorne; ele deve ser morto a cada etapa do caminho.

Imagem: O Pai. Ele lança uma sombra gigantesca sobre seus filhos, que, mesmo depois de morto, os mantém escravizados ao passado, arruinando a sua juventude e forçando-os a seguir o seu mesmo caminho desgastado. São muitos os truques que ele usa. A cada encruzilhada você deve matar o pai e sair da sua sombra.

Autoridade: Cuidado para não pisar nas pegadas de um grande homem – você terá de fazer o dobro do que ele fez para superá-lo. Quem segue os outros é considerado um imitador. Por mais que se esforce, nunca se livrará dessa carga. É raro encontrar um novo caminho para a excelência, uma rota moderna para a fama. São muitos os caminhos da singularidade, nem todos bem percorridos. Os mais recentes podem ser árduos, mas são quase sempre atalhos para a grandeza (Baltasar Gracián, 1601-1658).

LEI 42

ATAQUE O PASTOR E AS OVELHAS SE DISPERSAM

JULGAMENTO

A origem dos problemas em geral pode estar num único indivíduo forte – o agitador, o subalterno arrogante, o envenenador da boa vontade. Se você der espaço para essas pessoas agirem, outros sucumbirão à sua influência. Não espere os problemas que eles causam se multiplicarem, não tente negociar com eles – eles são irredimíveis. Neutralize a sua influência isolando-os ou banindo-os. Ataque a origem dos problemas e as ovelhas se dispersarão.

> *Quando a árvore cai, os macacos se dispersam.*
>
> Ditado chinês

AS CHAVES DO PODER

No passado, uma nação inteira era governada por um rei e um punhado de ministros. Só a elite tinha algum poder. Com o passar dos séculos, o poder foi se tornando cada vez mais difuso e democratizado. Isto gerou, entretanto, uma ideia muito comum de que os grupos não possuem mais centros de poder – que o poder está espalhado e distribuído entre muitas pessoas. Mas na verdade o poder mudou em número, mas não em essência. Pode haver menos tiranos poderosos exercendo o poder de vida e morte sobre milhões, mas restam milhares de pequenos tiranos governando reinos menores e impondo a sua vontade indiretamente com jogos de poder, carisma e outras coisas mais. Em todos os grupos, o poder se concentra nas mãos de uma ou duas pessoas, pois nesta área a natureza humana não muda: as pessoas se congregam em torno de uma única personalidade forte, como os planetas giram em torno do Sol.

Viver na ilusão de que este tipo de poder centralizado não existe mais é cometer intermináveis enganos, desperdiçar tempo e energia e não alcançar jamais a meta. Gente poderosa não joga o seu tempo fora. Externamente podem colaborar com o jogo – fingindo que o poder é dividido entre muitos –, mas, por dentro, ficam de olho nos inevitáveis poucos do grupo que dão as cartas. São esses que eles tentam influenciar. Quando surgem problemas, eles buscam a causa subjacente, a única personalidade forte que começou a agitação e cujo isolamento ou exílio acalmará as águas novamente.

Na sua prática de terapia familiar, Milton Erickson descobriu que se a dinâmica familiar estava perturbada e disfuncional é porque havia inevitavelmente um agitador, o gerador de problemas. Nas suas sessões ele isolava simbolicamente esta maçã podre fazendo-a sentar-se mais afastada, nem que fosse alguns centímetros. Aos poucos os outros membros da família passavam a ver a pessoa fisicamente separada como a origem das suas dificuldades. Uma vez reconhecido o agitador, apontá-lo para os outros será bastante útil. Compreender quem controla a dinâmica do grupo é importantíssimo. Lembre-se: os agitadores prosperam escondendo-se no grupo, disfarçando suas ações entre as reações dos outros. Torne as suas ações visíveis e eles perdem o seu poder de perturbar.

Um elemento-chave nos jogos estratégicos é isolar o poder do inimigo. No xadrez você tenta encurralar o rei. No jogo chinês de *go* você tenta isolar as forças inimigas em pequenos bolsões, deixando-os

OS LOBOS E AS OVELHAS

Certa vez os lobos enviaram uma embaixada às ovelhas, desejando que dali para a frente houvesse paz entre eles. "Por que", eles disseram, "devemos passar a vida toda nesta luta mortal? A culpa é daqueles cães malvados; estão sempre latindo para nós e nos provocando. Mande-os embora e não haverá mais obstáculos para a nossa eterna paz e amizade." As tolas ovelhas escutaram, despediram os cães e o rebanho, assim privado de seus melhores protetores, se tornou uma presa fácil para os seus traiçoeiros inimigos.

FÁBULAS, ESOPO, SÉCULO VI a.C.

imóveis e ineficazes. Quase sempre é melhor isolar os seus inimigos do que destruí-los – você parecerá menos brutal. O resultado, no entanto, é o mesmo, pois no jogo do poder o isolamento significa morte.

A forma de isolamento mais eficaz é quando você separa as suas vítimas da sua base de poder. Quando Mao Tsé-tung queria eliminar um inimigo da elite governante, não o enfrentava logo; trabalhava silenciosa e furtivamente para deixá-lo isolado, para dividir os seus aliados e afastá-los dele, reduzindo o apoio que lhe davam. Não demorava muito para o sujeito desaparecer.

Finalmente, ataca-se o pastor porque isso desanima totalmente as ovelhas. Desaparecido o líder, desaparece o centro de gravidade. Não há nada em torno do qual girar e tudo desmorona. Mire os líderes, derrube-os e procure as infinitas oportunidades na confusão que se seguirá.

Imagem: Um Rebanho de Ovelhas Gordas. Não desperdice o seu precioso tempo tentando roubar uma ou duas ovelhas. Não arrisque a vida atacando os cães que guardam o rebanho. Mire no pastor. Atraia-o para longe e os cães o seguirão. Derrube-o e o rebanho se espalhará – você poderá recolher as ovelhas uma por uma.

Autoridade: Se esticar um arco, estique o mais forte. Se usar uma flecha, use a mais longa. Para atirar num cavaleiro, atire primeiro no seu cavalo. Para pegar um grupo de bandidos, capture primeiro o líder. Assim como um país tem as suas fronteiras, a matança de homens tem o seu limite. Se for possível impedir o ataque de um inimigo [com um golpe na cabeça], por que matar e ferir mais gente do que o necessário? (Du Fu, poeta chinês da dinastia Tang, século VIII).

LEI

43

CONQUISTE CORAÇÕES
E MENTES

JULGAMENTO
A coerção provoca reações que acabam funcionando contra você. É preciso atrair as pessoas para que queiram *ir até você. A pessoa seduzida torna-se um fiel peão. Seduzem-se os outros atuando individualmente em suas psicologias e pontos fracos. Amacie o resistente atuando em suas emoções, jogando com aquilo de que ele gosta muito ou teme. Ignore o coração e a mente dos outros e eles o odiarão.*

AS 48 LEIS DO PODER

AS CHAVES DO PODER

No jogo do poder, você está rodeado de gente que não tem absolutamente nenhum motivo para ajudá-lo, a não ser que lucrem com isso. E se você não tiver nada que atraia o seu interesse, provavelmente despertará a sua hostilidade, pois será visto como mais um adversário, mais um para desperdiçar o tempo deles. Quem consegue vencer essa frieza encontra a chave que destranca o coração e a mente do estrangeiro, atraindo-o para o seu canto e, se necessário, amolecendo-o para receber o golpe. Mas a maioria das pessoas não aprende nunca este aspecto do jogo. Quando encontram alguém novo, em vez de dar um passo atrás e sondar para ver o que torna essa pessoa única, começam a falar de si mesmas, ansiosas para impor a sua própria vontade e preconceitos. Elas argumentam, se vangloriam e exibem o seu poder. Talvez não saibam disso, mas estão criando um inimigo, um resistente, porque não há nada mais irritante do que ver a própria individualidade ignorada, a própria psicologia não reconhecida.

Lembre-se: a chave da persuasão é amolecer as pessoas, derrubá-las, gentilmente. Seduza-as com uma abordagem dupla: trabalhe as suas emoções e jogue com suas fraquezas intelectuais. Fique alerta tanto ao que as distingue dos outros

Os governos veem os homens apenas em massa; mas nossos homens, sendo irregulares, não eram formações... Nossos reinos residem na mente de cada homem.

OS SETE PILARES DA SABEDORIA, T. E. LAWRENCE, 1888-1935

> *Os homens que mudaram o universo não conseguiram isso convencendo líderes, mas comovendo as massas. Tentar convencer os líderes é a intriga que só conduz a resultados secundários. Tentar convencer as massas, entretanto, é o golpe de gênio que muda a face do mundo.*
>
> NAPOLEÃO BONAPARTE, 1769-1821

(a sua psicologia individual) quanto ao que elas dividem com todo mundo (suas reações emocionais básicas). Mire nas emoções primárias – amor, ódio, ciúme. Quando você mexe com as emoções das pessoas, elas perdem o controle e ficam mais vulneráveis à persuasão.

Quando T. E. Lawrence estava combatendo os turcos nos desertos do Oriente Médio, durante a Primeira Guerra Mundial, ele teve uma revelação divina: pareceu-lhe que a guerra convencional tinha perdido o seu valor. O soldado de antigamente perdia-se nos enormes exércitos da época, no qual era mandado de um lado para outro como se fosse um peão inerte. Lawrence quis mudar isso. Para ele, a mente de cada um dos soldados era um reino que precisava conquistar. Um soldado comprometido, psicologicamente motivado, lutaria melhor e com mais criatividade do que um boneco.

A percepção de Lawrence é ainda mais válida no mundo atual, onde tantos se sentem alienados, anônimos e com a autoridade questionada, tudo o que torna os jogos de poder e força ostensivos ainda mais contraproducentes e arriscados. Em vez de manipular peões inertes, desperte a convicção e o entusiasmo daqueles que estão do seu lado pela causa para a qual você os recrutou; isto não só facilitará o seu trabalho como lhe dará também uma margem de segurança maior para enganá-los depois. E, para isso, você precisa saber lidar com suas psicologias individuais. Não seja desajeitado a ponto de achar que a tática que funcionou com uma pessoa irá necessariamente dar certo com outra.

A maneira mais rápida de cativar a mente das pessoas é demonstrar, com a maior simplicidade possível, como uma ação as beneficiará. Não há motivo maior do que o interesse pessoal: uma grande causa pode capturar mentes, mas passado o primeiro ímpeto de entusiasmo, o interesse diminui – a não ser que haja alguma coisa a se ganhar com isso. O interesse pessoal é a base mais sólida que existe.

Quem sabe fazer melhor esse apelo à mente das pessoas são os artistas, os intelectuais e aqueles com uma natureza mais poética. Isso porque é mais fácil comunicar ideias usando metáforas e imagens. É sempre uma boa política, portanto, ter no bolso do colete pelo menos um artista ou intelectual que possa apelar concretamente para a mente das pessoas.

Finalmente, aprenda o jogo dos números. Quanto mais ampla a sua base de sustentação, maior o seu poder. Compreendendo que uma alma alienada, insatisfeita, pode disparar a centelha do descontentamento, Luís XIV fazia questão de conquistar a estima das pessoas dos níveis mais baixos da sua equipe. Você também deve constantemente conquistar mais aliados em todos os níveis – vai chegar a hora, inevitavelmente, em que você precisará deles.

Imagem:
O Buraco da Fechadura. As pessoas constroem muros para deixar você do lado de fora; não force a passagem – só vai encontrar outros muros lá dentro. Existem portas nesses muros, portas para o coração e a mente, e elas possuem pequenas fechaduras. Espie pelo buraco da fechadura, encontre a chave que abrirá a porta e você terá acesso à vontade delas sem os desagradáveis vestígios de um arrombamento.

Autoridade: A dificuldade da persuasão está em conhecer o coração do persuadido para assim adequar a ele as minhas palavras. (...) Por essa razão, quem tentar persuadir o rei deve observar cuidadosamente os seus sentimentos de amor e ódio, os seus desejos e temores secretos, antes de poder conquistar o seu coração (Han-Fei-Tzu, filósofo chinês, século III a.C.).

LEI
44

DESARME E ENFUREÇA COM O EFEITO ESPELHO

JULGAMENTO
O espelho reflete a realidade, mas também é a ferramenta perfeita para a ilusão. Quando você espelha os seus inimigos, agindo exatamente como eles agem, eles não entendem a sua estratégia. O Efeito Espelho os ridiculariza e humilha, fazendo com que reajam exageradamente. Colocando um espelho diante deles, da sua psique, você os seduz com a ilusão de que compartilha os seus valores; ao espelhar as suas ações, você lhes dá uma lição. Raros são os que resistem ao poder do Efeito Espelho.

AS 48 LEIS DO PODER

EFEITO ESPELHO

Os espelhos têm o poder de nos perturbar. Olhando o nosso reflexo no espelho, quase sempre vemos o que queremos ver – a imagem de nós mesmos que achamos mais agradável. Tendemos a não olhar muito de perto, ignorando rugas e espinhas. Mas olhando bem para a imagem refletida, às vezes sentimos que estamos nos vendo como os outros nos veem, como uma pessoa entre outras pessoas, um objeto e não um sujeito.

Ao usar o Efeito Espelho recriamos simbolicamente este poder perturbador espelhando as ações dos outros, imitando seus movimentos para perturbá-los e enfurecê-los. Forçados a se sentirem ridicularizados, clonados, como um objeto, uma imagem sem alma, eles ficam zangados. Ou faça a mesma coisa com uma ligeira diferença e eles se sentirão desarmados – você refletiu perfeitamente os seus desejos e vontades. É esse o poder narcisista dos espelhos. Em ambos os casos, o Efeito Espelho perturba os seus alvos, seja deixando-os irritados ou extasiados, e nesse instante você tem o poder de manipulá-los ou seduzi-los. O Efeito Espelho tem um grande poder porque atua sobre as emoções mais primitivas.

Existem quatro Efeitos Espelho principais na esfera do poder:

Quando está atracado com o inimigo e percebe que não pode mais avançar, você "penetra" nele e vocês dois se tornam um só. Você pode vencer, aplicando a técnica adequada, enquanto estiverem enredados um no outro... Você pode vencer decisivamente, porque tem a vantagem de saber "penetrar" no inimigo; ao passo que, afastando-se dele, você perderia essa chance.

THE BOOK OF FIVE RINGS, MIYAMOTO MUSASHI, JAPÃO, SÉCULO XVII

LEI 44 | 243

> A CARTA ROUBADA
>
> Quando quero saber se alguém é sábio, idiota, bom ou mau, ou em que está pensando no momento, eu copio a mesma expressão que essa pessoa tem no rosto da maneira mais fiel possível, e então aguardo para ver que pensamentos ou sentimentos me surgem na cabeça ou no coração, iguais ou correspondentes àquela expressão.
>
> EDGAR ALLAN POE, 1809-1849

O Efeito Neutralizador. Se você fizer o que seus inimigos fazem, imitando suas ações da melhor maneira possível, eles não entenderão o que você está querendo – o seu espelho os cega. A estratégia que usarão com você vai depender da sua maneira característica de reagir; neutralize-a brincando de mímica com eles. O efeito dessa tática é o de ridicularizar, até enfurecer. Quase todos nós lembramos de quando na infância alguém ficava repetindo exatamente as nossas palavras só para provocar – depois de um tempo, em geral não muito, a vontade era a de lhe dar um soco na cara. Trabalhando de uma forma mais sutil na idade adulta, você ainda pode desestabilizar os seus adversários assim: protegendo a sua própria estratégia por trás do espelho, você coloca armadilhas invisíveis ou empurra o adversário para a armadilha que ele planejou para você.

Efeito Narciso. Todos estamos profundamente apaixonados por nós mesmos, mas como este amor exclui um objeto amado fora de nós, ele permanece sempre insatisfeito e irrealizado. O Efeito Narciso joga com este narcisismo universal: você olha bem fundo a alma dos outros, imagina seus desejos mais íntimos, seus valores, gostos, humores, e os reflete de volta para eles, transformando-se numa espécie de imagem espelhada. A sua capacidade de refletir essa psique lhe dá um grande poder sobre eles; podem até sentir um leve toque de amor.

O Efeito Moral. Com o Efeito Moral você dá aos outros uma lição fazendo-os provar do seu próprio remédio. Você espelha o que eles lhe fizeram, e de um modo que os faz perceber que você está agindo com eles exatamente como eles agiram com você. Você os faz sentir que o comportamento deles tem sido desagradável, em vez de ficarem ouvindo você se queixar e choramingar, o que só os deixa na defensiva. E ao sentirem o resultado de suas atitudes espelhado de volta para eles, perceberão profundamente como magoam e maltratam os outros com o seu comportamento antissocial.

Efeito Alucinatório. Os espelhos são tremendamente enganadores, pois criam uma sensação de que se está vendo o mundo real. Na verdade, você está vendo apenas um pedaço de vidro, que, como todos sabem, não pode mostrar o mundo exatamente como ele é: tudo no espelho fica invertido.

O Efeito Alucinatório acontece quando se cria uma cópia perfeita de um objeto, um lugar, uma pessoa. Esta cópia funciona como uma espécie de manequim – as pessoas a tomam pela coisa real, porque tem a aparência física da coisa real. Esta é a técnica preferida dos ilusionistas, que estrategicamente imitam o mundo real para enganar você. E também é aplicada em qualquer área que exija camuflagem.

Imagem: O Escudo de Perseu. Polido até ficar como um espelho, a Medusa não vê você, só o reflexo dela, horrendo. Escondido atrás de um espelho você engana, ridiculariza e enfurece. De um só golpe você corta a cabeça da Medusa desatenta.

Autoridade: A tarefa de uma operação militar é dissimuladamente concordar com as intenções do inimigo... chegar ao que eles querem primeiro, sutilmente antecipá-los. Manter a disciplina e adaptar-se ao inimigo... Assim, no princípio você é como uma donzela, e o inimigo abre a porta; em seguida, você é como um coelho solto, para que o inimigo não possa impedi-lo de entrar (Sun-tzu, século IV a.C.).

LEI

45

PREGUE A NECESSIDADE DE MUDANÇA, MAS NÃO MUDE MUITA COISA AO MESMO TEMPO

JULGAMENTO

Teoricamente, todos sabem que é preciso mudar, mas na prática as pessoas são criaturas de hábitos. Muita inovação é traumático e conduz à rebeldia. Se você é novo numa posição de poder, ou alguém de fora tentando construir a sua base de poder, mostre explicitamente que respeita a maneira antiga de fazer as coisas. Se a mudança é necessária, faça-a parecer uma suave melhoria do passado.

DE ONDE VEM O NATAL

Comemorar a virada do ano é um costume antigo. Os romanos celebravam a Saturnália, o festival de Saturno, deus da colheita, entre os dias 17 e 23 de dezembro. Era a festa mais animada do ano. Ninguém trabalhava e o comércio fechava, as ruas se enchiam de gente e o clima era de carnaval. Os escravos eram temporariamente libertados e as casas decoradas com ramos de louro. As pessoas se visitavam, levando de presente velas de cera e pequenas esculturas de barro. Muito antes do nascimento de Jesus, os judeus

AS CHAVES DO PODER

A psicologia humana contém muitas dualidades, e uma é que as pessoas, mesmo compreendendo a necessidade de mudar, sabendo como é importante que instituições e indivíduos se renovem de vez em quando, ficam irritadas e aborrecidas quando isso as afeta pessoalmente. Sabem que a mudança é necessária e que a novidade alivia o tédio, mas no íntimo preferem o passado. Mudar teórica ou superficialmente elas querem, mas a mudança que revira hábitos e rotinas essenciais é profundamente perturbadora.

Nenhuma revolução aconteceu sem uma forte reação posterior, porque, a longo prazo, o vazio que ela cria se torna desconfortável demais para o animal humano que, inconscientemente, o associa à morte e ao caos. A oportunidade de mudança e renovação seduz as pessoas a tomar o partido da revolução, mas quando passa o entusiasmo – e ele vai passar – elas sentem um certo vazio. Saudosas do passado, elas abrem uma brecha para que ele volte furtivamente.

Para Maquiavel, o profeta que prega e traz mudanças só sobrevive pegando em armas: quando as massas inevitavelmente suspirarem pelo passado, ele deve estar pronto para usar a força. Mas o profeta armado não dura muito se não criar rapidamente um novo conjunto de valores e rituais para substituir os antigos e aplacar as ansiedades daqueles que temem a mudança. É muito mais fácil, e menos sanguinário, aplicar uma espécie de conto do vigário. Pregue a mudança o quanto quiser, e até realize as suas reformas, mas que elas tenham a aparência confortável das tradições e dos eventos mais antigos.

Um gesto simples como o de usar um velho título, manter o mesmo número de pessoas num grupo, o ligará ao passado e o sustentará como autor da história.

Outra estratégia para disfarçar a mudança é fazer uma demonstração pública e ruidosa de apoio aos valores do passado. Mostre-se um ardoroso defensor das tradições do passado e poucos notarão o quanto você é realmente pouco convencional. A Florença renascentista tinha uma república com vários séculos de idade e desconfiava de quem zombasse de suas tradições. Cosimo de Medici exibia-se como um entusiástico defensor da república, enquanto na realidade trabalhava para colocar a cidade sob controle da sua rica família. Formalmente, os Medici mantinham a aparência de uma república; em substância, eles a tornavam impotente. Em silêncio, eles fizeram uma mudança radical, embora aparentassem estar protegendo as tradições.

comemoravam durante oito dias o Festival das Luzes [na mesma estação], e acredita-se que os povos germânicos faziam um grande festival não só no verão, mas também no solstício de inverno, quando comemoravam o renascimento do sol e homenageavam os grandes deuses da fertilidade, Wotan e Freyja, Donar (Thor) e Freyr. Mesmo depois que o imperador Constantino (306-337 d.C.) declarou o cristianismo como a religião oficial do Império Romano, a evocação da luz e da fertilidade como um componente importante das comemorações pré-cristãs do inverno não pôde ser totalmente suprimida. No ano de 274, o imperador romano Aureliano (214-275 d.C.) tinha estabelecido um culto oficial ao deus-sol Mitras, declarando a data do seu nascimento, 25 de dezembro, feriado nacional. O culto a Mitras, o deus ariano da luz, havia se espalhado desde a Pérsia pela Ásia Menor até a Grécia, a Roma, chegando às terras germânicas e à Bretanha. Inúmeras ruínas dos seus santuários ainda testemunham a alta consideração com que este deus era tido, especialmente por parte das legiões romanas, como

A solução para esse conservadorismo inato é fazer o jogo do cortesão. Galileu fez assim no início da sua carreira; mais tarde ele ficou mais ousado e pagou por isso. Portanto, fale bem da tradição, mas só da boca para fora. Identifique os elementos na sua revolução que possam parecer estar baseados no passado. Diga as coisas certas, mostre conformidade e enquanto isso deixe que suas teorias façam o seu trabalho radical.

Finalmente, pessoas de poder prestam atenção às tendências da época. Se as reformas que elas propõem forem muito avançadas, quase ninguém compreenderá e isso vai gerar ansiedade e será irremediavelmente mal interpretado. As mudanças que você fizer devem parecer menos inovadoras do que são.

Cuidado com as tendências da época. Se você trabalha com um período muito tumultuado, o poder poderá ser da pregação a uma volta ao passado, ao conforto, à tradição e aos rituais. Por outro lado, em períodos de estagnação, jogue com as cartas da reforma e da revolução – mas cuidado com o que você despertar. Raramente quem termina uma revolução é quem começou.

Imagem: O Gato.
Criatura de hábitos, adora o conforto do que é familiar. Altere as suas rotinas, perturbe o seu espaço e ele ficará intratável e psicótico. Acalme-o respeitando os seus rituais. Se a mudança for necessária, engane-o mantendo vivo o cheiro do passado; coloque objetos com que ele está familiarizado em locais estratégicos.

Autoridade: Quem deseja ou tenta reformar o governo de um estado, e quer vê-lo aceito, deve pelo menos manter a semelhança com as formas antigas, de tal maneira que pareça às pessoas não ter havido mudança nas instituições, ainda que, de fato, elas tenham mudado totalmente. Pois a humanidade, na sua grande maioria, satisfaz-se com as aparências como se fossem realidade (Nicolau Maquiavel, 1469-1527).

portador da fertilidade, da paz e da vitória. Portanto, foi uma atitude inteligente quando, no ano de 354 d.C., a Igreja cristã sob o papa Liberius (352-366) cooptou o nascimento de Mitras e declarou o dia 25 de dezembro como a data de nascimento de Jesus Cristo.

NEUE ZÜRCHER ZEITUNG, ANNE--SUSANNE RISCHKE, 25 DE DEZEMBRO DE 1983

LEI 46

NÃO PAREÇA PERFEITO DEMAIS

JULGAMENTO
Parecer melhor do que os outros é sempre perigoso, mas o que é perigosíssimo é parecer não ter falhas ou fraquezas. A inveja cria inimigos silenciosos. É sinal de astúcia exibir ocasionalmente alguns defeitos, e admitir vícios inofensivos, para desviar a inveja e parecer mais humano e acessível. Só os deuses e os mortos podem parecer perfeitos impunemente.

AS 48 LEIS DO PODER

AS CHAVES DO PODER

É muito difícil para o ser humano lidar com sentimentos de inferioridade. A ideia de uma capacidade, talento ou poder superior quase sempre nos deixa perturbados e constrangidos. Isto porque a maioria de nós tem uma noção inflada de si mesmo e, se encontramos alguém superior, vemos claramente que somos de fato medíocres ou, pelo menos, não tão brilhantes quanto pensávamos ser. Essa perturbação da imagem que temos de nós mesmos desperta logo emoções desagradáveis. No início sentimos inveja: se tivéssemos a qualidade ou habilidade da pessoa superior seríamos felizes. Mas a inveja não conforta nem torna as pessoas iguais. Nem podemos reconhecer que a sentimos, pois é malvista socialmente – mostrar inveja é admitir estar se sentindo inferior. Para os amigos íntimos, podemos confessar nossos desejos ocultos frustrados, mas jamais confessaremos que sentimos inveja. Portanto, ela permanece em segredo.

Existem várias estratégias para se lidar com a emoção insidiosa e destrutiva da inveja. Primeiro, compreenda que conforme você ganha poder, aqueles em situação inferior sentirão inveja de você. Podem não mostrar, mas é inevitável. Não aceite ingenuamente a fachada que eles lhe reve-

O invejoso oculta-se com o mesmo zelo do pecador secreto e lascivo e se torna um inventor de infindáveis truques e estratagemas que usa para se esconder e disfarçar. Assim, ele consegue fingir que ignora a superioridade dos outros que lhe corrói a alma, como se não a visse, não a ouvisse, não tivesse dela consciência, nem tivesse escutado comentários a seu respeito. Ele é um mestre da simulação. Por outro lado, ele tenta com todas as suas forças ser conivente e, por conseguinte, impedir o aparecimento de qualquer forma de superioridade em qualquer situação. E quando ela surge, lança sobre ela a obscuridade,

> *a hipercrítica, o sarcasmo e a calúnia como o sapo cuspindo veneno de dentro da sua toca. Por outro lado, ele louvará infinitamente homens insignificantes, pessoas medíocres e até aquele que lhe é inferior no seu mesmo ramo de atividade.*
>
> ARTHUR SCHOPENHAUER, 1788-1860

lam – leia nas entrelinhas das suas críticas as suas pequenas observações sarcásticas, os sinais das punhaladas nas costas, o elogio excessivo que está preparando você para a queda, a expressão ressentida no olhar. Metade do problema com a inveja é que só a reconhecemos quando já é tarde demais.

Segundo, acredite que, se as pessoas o invejam, elas trabalharão contra você insidiosamente. Elas colocarão no seu caminho obstáculos que você não prevê. É difícil se defender deste tipo de ataque. Visto que é muito mais fácil não despertar inveja, em primeiro lugar, do que se livrar dela depois que se instala, você deve usar estratégias para se prevenir antes que ela aumente. Ao tomar consciência dessas ações e qualidades que geram inveja, você pode acabar com ela antes que o devore aos bocadinhos.

Um grande perigo na esfera do poder é quando a sorte parece sorrir de repente – uma promoção inesperada, uma vitória ou sucesso que parece vir não se sabe de onde. Isto certamente despertará inveja entre seus antigos pares.

Quando o arcebispo de Retz foi promovido a cardeal, em 1651, ele sabia muito bem que muitos dos seus ex-colegas o invejavam. Compreendendo que era tolice evitar quem estava em posição inferior, Retz fez o possível para diminuir o seu mérito e enfatizar o papel da sorte no seu sucesso. Para não deixar as pessoas constrangidas, ele agia com humildade e deferência, como se nada tivesse acontecido. (Na realidade, é claro, agora ele tinha muito mais poder do que antes.) Ele escreveu que estas sábias políticas "tiveram um bom efeito, reduzindo a inveja que alimentavam de mim, que é o maior de todos os segredos". Siga o exemplo do arcebispo.

Enfatize sutilmente a sorte que você teve para tornar a sua felicidade mais acessível aos outros e menos intensa a necessidade de invejar.

Para desviar a inveja, Gracián recomenda que o poderoso exiba uma fraqueza, uma insignificante imprudência social, um vício inofensivo.

Cuidado com alguns disfarces da inveja. O elogio exagerado é quase sempre um sinal certo de que a pessoa que está elogiando inveja você: está preparando você para uma queda – será impossível você se manter à altura desses elogios – ou afia as lâminas pelas suas costas. Ao mesmo tempo, é provável que aqueles que o criticam demais, ou que o caluniam em público, também tenham inveja de você. Reconheça o comportamento dessas pessoas como

Pois é raro, diz o provérbio, o homem que consegue amar o amigo que prospera sem invejá-lo; e, na mente do invejoso, o frio veneno se agarra e ele sente em dobro todas as dores que a vida lhe traz. Das suas próprias feridas ele tem de tratar e a felicidade do outro para ele é como uma maldição.
AGAMENNON,
ÉSQUILO,
c. 525-456 a.C.

É preciso muito talento e habilidade para dissimular o próprio talento e habilidade.
LA
ROCHEFOUCAULD,
1613-1680

inveja disfarçada e fique longe da armadilha das ofensas mútuas ou das críticas levadas a sério. Vingue-se ignorando a sua presença mesquinha.

Não tente ajudar ou prestar favores a quem o inveja; vão pensar que você está sendo condescendente. A tentativa de Joe Orton de ajudar Halliwell a encontrar uma galeria para expor suas obras só acentuou os sentimentos de inferioridade e a inveja do amante. Quando a inveja se revela como tal, quase sempre a única solução é fugir da presença dos invejosos, deixando-os arder no inferno que eles mesmos criaram.

Imagem: Um Jardim de Ervas Daninhas. Você não as alimenta, mas elas se espalham quando você rega o jardim. Você não as vê agora, mas elas tomam conta, altas e feias, impedindo tudo que é belo de florir. Antes que seja tarde, não regue indiscriminadamente. Destrua as ervas daninhas da inveja recusando-lhes o alimento.

Autoridade: Ocasionalmente, revele um defeito inofensivo no seu caráter. Pois o invejoso acusa o mais perfeito de pecar por não ter pecado. Ele se torna um Argos, só olhos para encontrar falhas na excelência – é o seu único consolo. Não deixe a inveja explodir com seu próprio veneno – desarme-a de antemão afetando alguma falha de valor ou inteligência. Assim você agita a sua capa vermelha diante dos Cornos da Inveja, para salvar a sua imortalidade (Baltasar Gracián, 1601-1658).

LEI
47

NÃO ULTRAPASSE A META ESTABELECIDA; NA VITÓRIA, APRENDA A PARAR

JULGAMENTO

O momento da vitória é quase sempre o mais perigoso. No calor da vitória, a arrogância e o excesso de confiança podem fazer você avançar além da sua meta e, ao ir longe demais, você conquista mais inimigos do que derrota. Não deixe o sucesso lhe subir à cabeça. Nada substitui a estratégia e o planejamento cuidadoso. Fixe a meta e, ao alcançá-la, pare.

AS 48 LEIS DO PODER

AS CHAVES DO PODER

O poder tem os seus próprios ritmos e padrões. Aqueles que têm sucesso nesse jogo são os que controlam os padrões e os variam à vontade, mantendo as pessoas em desequilíbrio enquanto definem o tempo. A essência da estratégia é controlar o que vem em seguida, e o entusiasmo da vitória pode atrapalhar a sua capacidade de controlar isso que vem em seguida de duas formas. Primeiro, você deve o seu sucesso a um padrão que estará apto a tentar repetir. Você tentará continuar seguindo na mesma direção, sem parar para ver se este ainda é o melhor caminho para você. Segundo, o sucesso tende a lhe subir à cabeça e o torna mais sensível às emoções. Sentindo-se invulnerável, você faz movimentos agressivos que acabam arruinando a vitória conquistada.

A lição é simples: o poderoso varia seus ritmos e padrões, muda de curso, adapta-se às circunstâncias e aprende a improvisar. Em vez de deixar que os seus pés de dançarino o impulsionem para frente, ela dá um passo atrás e olha para onde está indo. É como se em suas veias corresse um antídoto para a intoxicação com a vitória, permitindo que controle suas emoções e dê uma espécie de parada mental quando atinge o sucesso. Ele se apruma, abre espaço para refletir sobre o

Dois frangotes brigavam num monte de esterco. Um era mais forte, venceu o outro e o arrastou para fora dali. As galinhas se reuniram todas em volta do frangote e começaram a aplaudir. O frangote então quis que no quintal vizinho soubessem da sua força e da sua glória. Voou até o topo do celeiro, bateu as asas e cacarejou bem alto: "Olhem para mim todos vocês. Sou um frangote vitorioso. Não há no mundo frangote mais forte do que eu." O frangote ainda não havia terminado quando uma águia o matou com suas garras e o levou para o ninho.

FÁBULAS,
LEON TOLSTÓI,
1828-1910

> A SEQUÊNCIA DO INTERROGATÓRIO
>
> *Em todos os seus interrogatórios... o mais importante de tudo, deixe-me repetir a ordem para estar sempre alerta para o melhor momento de parar. Nada pode ser mais importante do que encerrar o seu interrogatório com um triunfo. São tantos os advogados que conseguem pegar uma testemunha em grave contradição, mas, não satisfeitos com isso, continuam fazendo perguntas e seguem interrogando até anularem o efeito da sua vantagem anterior sobre o júri.*
>
> THE ART OF CROSS-EXAMINATION, FRANCIS L. WELLMAN, 1903

que aconteceu, examina o papel da sorte e das circunstâncias no seu sucesso.

A sorte e a circunstância têm sempre o seu papel no poder. Isto é inevitável e torna o jogo mais interessante. Mas, a despeito do que se pensa, a sorte é mais perigosa do que o azar. O azar dá lições preciosas sobre paciência, tempo oportuno e a necessidade de estar preparado para o pior; a sorte ilude ensinando o contrário, fazendo você pensar que o seu brilhantismo vai sustentá-lo até o fim. A sorte vira, isso é inevitável, e aí você estará totalmente despreparado. A mesma sorte que o põe lá em cima ou sela o seu sucesso mostra que é hora de abrir os olhos: a roda da fortuna o lançará para baixo com a mesma facilidade com que o coloca lá no alto. Preparando-se para a queda, é menos provável que ela o arruíne quando acontecer.

Quem ultrapassa a sua meta quase sempre está motivado por um desejo de agradar a um mestre comprovando a sua dedicação. Mas esforçando-se demais você corre o risco de despertar a desconfiança do mestre. Em várias ocasiões, os generais sob as ordens de Filipe da Macedônia caíram em desgraça e foram rebaixados de posto imediatamente depois de terem conduzido suas tropas a uma grande vitória; mais uma vitória como essa, pensava Filipe, e esse homem poderá se transformar num rival, em vez de subordinado. Quando você serve a um mestre, é melhor dimensionar cuidadosamente as suas vitórias, deixando que ele fique com as glórias e não permitindo jamais que se sinta constrangido. É também sensato estabelecer um padrão rígido de obediência para conquistar a sua confiança.

Finalmente, o momento em que você para tem uma grande importância dramática. O que vem por último fica marcado na lembrança como um ponto de exclamação. Não há ocasião melhor para parar e se afastar do que depois de uma vitória. Continue e se arriscará a reduzir o efeito, até terminar derrotado. Como dizem os advogados sobre os interrogatórios, "Pare sempre com uma vitória".

Imagem: Ícaro Despencando do Céu. Seu pai, Dédalo, confecciona asas de cera que permitem aos dois homens saírem voando do labirinto e escapar do Minotauro. Entusiasmado com a fuga triunfante e a emoção do voo, Ícaro sobe cada vez mais alto, até que o sol derrete a cera das asas e ele morre na queda.

Autoridade: Príncipes e repúblicas deveriam se contentar com a vitória, pois quando almejam mais do que isso, em geral perdem. O hábito de insultar o inimigo com palavras surge da insolência da vitória, ou da falsa esperança de vitória, a qual frequentemente desorienta os homens tanto nas suas ações quanto nas suas palavras: pois quando esta falsa esperança se apossa da mente, faz os homens ultrapassarem o seu alvo e sacrificarem um bem garantido por outro melhor, incerto (Nicolau Maquiavel. 1469-1527).

LEI
48

EVITE TER UMA FORMA DEFINIDA

JULGAMENTO

Ao assumir uma forma, ao ter um plano visível, você se expõe ao ataque. Em vez de assumir uma forma que o seu inimigo possa agarrar, mantenha-se maleável e em movimento. Aceite o fato de que nada é certo e nenhuma lei é fixa. A melhor maneira de se proteger é ser tão fluido e amorfo como a água; não aposte na estabilidade ou na ordem permanente. Tudo muda.

ROBERT GREENE

> *Nas artes marciais, é importante a estratégia ser incompreensível, a forma oculta e os movimentos inesperados para que não se possa estar preparado para eles. O sucesso de um bom general na vitória depende sempre da sua sabedoria insondável e de um* modus operandi *sem pistas. Só a falta de forma não pode ser afetada. Os sábios ocultam-se na incompreensibilidade para que seus sentimentos não possam ser observados; eles operam na informidade, para que suas ações não possam ser interceptadas.*
>
> THE BOOK OF THE HUAINAN MASTERS, CHINA, SÉCULO II a.C.

AS CHAVES DO PODER

O animal humano se diferencia por sua constante criação de formas. Raramente expressando suas emoções diretamente, ele lhes dá forma por meio da linguagem ou de rituais socialmente aceitáveis. Não conseguimos comunicar nossas emoções sem uma forma.

As formas que criamos, entretanto, mudam constantemente – na moda, no estilo, em todos aqueles fenômenos humanos representando o estado de espírito do momento. Constantemente alteramos as formas herdadas de gerações anteriores e estas mudanças são sinais de vida e vitalidade. Na verdade, o que não mudamos, as formas enrijecidas, nos lembram a morte, e as destruímos.

Os poderosos são quase sempre pessoas que na juventude se mostraram imensamente criativas ao expressarem algo novo de uma nova forma. A sociedade lhes concede poder porque tem fome deste tipo de novidade e a recompensa. O problema surge mais tarde, quando frequentemente se tornam conservadores e possessivos. Não sonham mais em criar novas formas; suas identidades estão definidas, seus hábitos congelaram e a sua rigidez os torna alvos fáceis.

O poder só pode prosperar se for flexível em suas formas. Não ter forma defi-

AS 48 LEIS DO PODER

nida não é ser amorfo; tudo tem forma – isso é impossível de evitar. A informidade do poder é mais como a da água, ou do mercúrio, que assume a forma do que a contém. Mudando constantemente, ela nunca é previsível.

O primeiro requisito psicológico para a informidade é aprender a não levar nada para o lado pessoal. Jamais revele defensividade. Quando age na defensiva, você mostra suas emoções, revelando uma forma nítida. Seus adversários perceberão que tocaram um nervo, um calcanhar de aquiles. E voltarão a atacar repetidas vezes. Portanto, aprenda a não levar nada para o lado pessoal. Não deixe que ninguém o veja pelo avesso. Seja uma bola escorregadia impossível de agarrar, que ninguém saiba o que o atinge ou onde estão os seus pontos fracos. Cubra o rosto com uma máscara indefinida e deixará furiosos e desorientados seus ardilosos colegas e adversários.

O barão James Rothschild usava esta técnica. Judeu-alemão em Paris, vivendo numa cultura decididamente hostil aos estrangeiros, Rothschild jamais se julgou pessoalmente atacado ou se mostrou ressentido de alguma maneira. Ele se adaptava ainda mais ao clima político, seja qual fosse – a monarquia rigidamente formal

O sábio não procura imitar os passos dos antigos nem estabelecer padrões fixos que sejam eternos, mas examina o que é da sua época e aí, então, prepara-se para lidar com isso. Havia em Sung um homem que lavrava um campo onde se erguia o tronco de uma árvore. Certa vez uma lebre, correndo veloz, esbarrou no tronco, quebrou o pescoço e morreu. O homem então largou o arado e ficou observando a árvore, esperando conseguir uma outra lebre. Mas não conseguiu nunca outra lebre e foi alvo dos risos do povo de Sung. Ora, supondo que alguém quisesse governar o povo

LEI 48 | 265

na era atual com as políticas dos primeiros reis, estaria agindo exatamente como o homem que ficou observando a árvore.

HAN-FEI-TZU,
FILÓSOFO
CHINÊS, SÉCULO
III a.c.

de Luís XVIII, o reinado burguês de Luís Filipe, a revolução democrática de 1848, o presunçoso Luís Napoleão, coroado imperador em 1852. Rothschild aceitou a todos e se misturou a eles. Podia se dar ao luxo de parecer hipócrita ou oportunista porque era valorizado por seu dinheiro, não pela sua política: seu dinheiro era a moeda do poder. Enquanto ele se adaptava e prosperava, jamais mostrando externamente uma forma, todas as outras grandes famílias que tinham começado o século riquíssimas se arruinaram nas complicadas reviravoltas do destino naquele período. Prendendo-se ao passado, elas revelavam estar submetidas a uma forma.

Com a idade, você deve confiar ainda menos no passado. Esteja alerta para que a forma que o seu caráter tomou não o faça parecer uma relíquia.

Não se esqueça, entretanto, de que a indefinição da forma é uma atitude estratégica. Ela lhe dá espaço para criar surpresas táticas; enquanto lutam para adivinhar qual será o seu próximo movimento, os seus inimigos estarão revelando as suas próprias estratégias, colocando-se em desvantagem. Lembre-se: a forma indefinida é uma ferramenta. Não a confunda com o estilo maria vai com as outras ou com resignação religiosa aos reveses da sorte.

AS 48 LEIS DO PODER

Você a utiliza não porque ela proporciona harmonia e paz interior, mas porque ela aumenta o seu poder.

Finalmente, aprender a se adaptar a cada nova circunstância significa ver os acontecimentos com seus próprios olhos e com frequência ignorar os conselhos que as pessoas estão sempre dispostas a dar. Isso significa que você deve jogar fora as leis que os outros pregam, os livros que eles escrevem para lhe dizer o que fazer e o sábio conselho dos idosos. "As leis que governam as circunstâncias são abolidas por novas circunstâncias", escreveu Napoleão, o que significa que é você quem tem de avaliar cada nova situação. Confie demais nas ideias dos outros e acabará assumindo uma forma que não é sua. O respeito excessivo pela sabedoria alheia fará você desvalorizar a sua própria sabedoria. Seja cruel com o passado, especialmente o seu, e não leve em consideração filosofias impingidas de fora para dentro.

Imagem: Mercúrio. O mensageiro alado, deus do comércio, padroeiro dos ladrões, dos jogadores e de todos aqueles que se iludem com a velocidade. No mesmo dia em que nasceu, Mercúrio inventou a lira; à noite já tinha roubado o gado de Apolo. Ele percorria veloz o mundo, assumindo a forma que desejasse. Como o metal líquido do qual recebeu o nome, ele personifica o esquivo, o impalpável – o poder da informidade.

Autoridade: Portanto, o objetivo da formação de um exército é chegar à informidade. A vitória nas guerras não é repetitiva, mas adapta a sua forma infinitamente... Uma força militar não tem formação constante, a água não tem forma constante: à habilidade de obter a vitória mudando e se adaptando segundo o adversário chama-se gênio (Sun-tzu, século IV a.C.).